Déjoué par le cancer

Éditrice : Pascale Mongeon
Infographiste : Johanne Lemay
Correction : Sabine Cerboni

Catalogage avant publication de Bibliothèque et
Archives nationales du Québec et Bibliothèque et
Archives Canada

Ladouceur, Albert

Déjoué par le cancer

Autobiographie.

ISBN 978-2-7619-4094-8

1. Ladouceur, Albert. 2. Pancréas - Cancer
- Patients - Québec (Province) - Biographies.
3. Journalistes sportifs - Québec (Province) -
Biographies. I. Titre.

RC280.P25L32 2014   362.19699'4370092
C2014-940670-3

04-14

© 2014, Les Éditions de l'Homme,
division du Groupe Sogides inc.,
filiale de Québecor Média inc.
(Montréal, Québec)

Tous droits réservés

Dépôt légal : 2014
Bibliothèque et Archives nationales du Québec

ISBN 978-2-7619-4094-8

DISTRIBUTEURS EXCLUSIFS :

Pour le Canada et les États-Unis :
MESSAGERIES ADP*
2315, rue de la Province
Longueuil, Québec J4G 1G4
Téléphone : 450-640-1237
Télécopieur : 450-674-6237
Internet : www.messageries-adp.com
* filiale du Groupe Sogides inc.,
  filiale de Québecor Média inc.

Pour la France et les autres pays :
INTERFORUM editis
Immeuble Paryseine, 3, allée de la Seine
94854 Ivry CEDEX
Téléphone : 33 (0) 1 49 59 11 56/91
Télécopieur : 33 (0) 1 49 59 11 33
Service commandes France Métropolitaine
Téléphone : 33 (0) 2 38 32 71 00
Télécopieur : 33 (0) 2 38 32 71 28
Internet : www.interforum.fr
Service commandes Export – DOM-TOM
Télécopieur : 33 (0) 2 38 32 78 86
Internet : www.interforum.fr
Courriel : cdes-export@interforum.fr

Pour la Suisse :
INTERFORUM editis SUISSE
Case postale 69 – CH 1701 Fribourg – Suisse
Téléphone : 41 (0) 26 460 80 60
Télécopieur : 41 (0) 26 460 80 68
Internet : www.interforumsuisse.ch
Courriel : office@interforumsuisse.ch
Distributeur : OLF S.A.
ZI. 3, Corminboeuf
Case postale 1061 – CH 1701 Fribourg – Suisse
Commandes :
Téléphone : 41 (0) 26 467 53 33
Télécopieur : 41 (0) 26 467 54 66
Internet : www.olf.ch
Courriel : information@olf.ch

Pour la Belgique et le Luxembourg :
INTERFORUM BENELUX S.A.
Fond Jean-Pâques, 6
B-1348 Louvain-La-Neuve
Téléphone : 32 (0) 10 42 03 20
Télécopieur : 32 (0) 10 41 20 24
Internet : www.interforum.be
Courriel : info@interforum.be

Gouvernement du Québec – Programme de crédit
d'impôt pour l'édition de livres – Gestion SODEC –
www.sodec.gouv.qc.ca

L'Éditeur bénéficie du soutien de la Société de développement des entreprises culturelles du Québec
pour son programme d'édition.

 Conseil des Arts   **Canada Council**
du Canada   for the Arts

Nous remercions le Conseil des Arts du Canada de
l'aide accordée à notre programme de publication.

Nous reconnaissons l'aide financière du gouvernement du Canada par l'entremise du Fonds du livre
du Canada pour nos activités d'édition.

ALBERT
LADOUCEUR
Préface de **Peter Stastny**

Déjoué par le
cancer

LES ÉDITIONS DE
L'HOMME
Une société de Québecor Média

À ma conjointe Céline et à ses enfants
Pierre-Olivier, Marie-Hélène, Anne-Sophie, Sarah-Julie,
qui m'accompagnent dans mon cheminement.
Les membres de ma famille sont les principaux témoins
de mon combat pour prolonger ma vie tout en gardant
le moral, mais ils subissent également mes sautes
d'humeur, mes larmes et le désespoir qui ne s'écarte pas
facilement de mon quotidien.

Je dédie également ce livre à un enfant à naître en
juillet 2014, la fille de Pierre-Olivier et de sa conjointe
Valérie, que j'espère, plus que tout au monde,
prendre dans mes bras.

Si elle pouvait lire, je dédierais également ce livre
à ma belle Nala, ce berger anglais qui, de ses beaux
yeux bleus, me supplie de la promener chaque jour et
ainsi de faire de l'exercice en sa compagnie. Elle me
regarde souvent comme si elle comprenait ce que je vis.

Préface

Je n'oublierai jamais le moment où mon frère cadet, Anton, m'a annoncé la nouvelle. Il venait tout juste de jaser par Skype avec mon frère aîné, Marian, qui l'avait informé de la situation. «Albert Ladouceur a reçu un diagnostic de cancer», lui avait-il dit. J'étais estomaqué. J'ai ressenti une avalanche d'émotions.

À mon âge, on s'accoutume à recevoir ce genre de mauvaise nouvelle. Par contre, quand elle concerne un membre de la famille ou quelqu'un de très proche, on est chamboulé par les émotions qui prennent le dessus. C'est ainsi que je me suis senti en prenant connaissance de l'état de santé d'Albert.

Chaque fois qu'on me parle de Québec, ce qui arrive très souvent, cela évoque immédiatement des souvenirs de ce que je qualifie des dix meilleures années de ma vie. Les plus belles. Évidemment, il y a une raison à cela, même plusieurs raisons, dont l'accueil royal que l'organisation des Nordiques et les gens de Québec m'avaient réservé à la fin d'août 1980, la naissance de mes enfants dans cette ville, ma famille, les amis, mes accomplissements, et les moments privilégiés de mes saisons les plus productives.

Mon premier enfant, Katarina, a vu le jour le 14 septembre, seulement quelques jours après notre arrivée. C'était un dimanche et je me souviens qu'on parlait encore de Terry Fox qui venait de mettre fin prématurément à sa marche pour la recherche contre le cancer, en raison de la progression trop rapide de la maladie.

Les souvenirs se bousculent lorsque je me mets à penser à mes années à Québec. Ma première saison avec les Nordiques avait débuté plutôt lentement, mais s'était terminée sur une très bonne note, notamment avec une performance stupéfiante à Washington. Ce fameux match où Anton et moi avions totalisé 16 points contre les Capitals. Un record qui tient toujours pour une prestation à l'étranger. Peu de gens se souviennent que, lors de la partie précédente jouée à l'autre bout du continent, à Vancouver, Anton et moi avions récolté trois buts et trois aides chacun. Un total de 28 points pour deux joueurs en deux matchs, ça ne s'oublie pas. Je crois que c'était la première fois que la Ligue nationale décernait le titre de joueur de la semaine à deux hockeyeurs. J'imagine qu'elle n'avait pas le choix.

À la fin de cette campagne mémorable, les Nordiques ont participé aux éliminatoires pour la première fois de leur histoire. Et j'ai hérité du trophée Calder remis à la recrue par excellence du circuit. Après la saison, on nous a invités à Las Vegas, mon épouse Darina et moi. C'est pendant ce voyage que j'ai appris une des plus belles nouvelles de ma vie : Marian et toute sa famille étaient à Vienne et venaient à Québec !

Avant la fin de 1985, trois enfants ont suivi, Yan, Kristina et Paul ; Anton et son épouse en ont eu deux, Thomas et Matthew. Si on ajoute les trois enfants de Marian, Eva, Yanka et Robert, il y avait toujours beaucoup d'action lors de nos rassemblements familiaux à Noël, à Pâques, et l'été lors de nos barbecues. Sur la patinoire, nous nous amusions comme des fous quand on nous réunissait tous les trois dans un même trio. Et les Nordiques ont entrepris une séquence de six participations d'affilée aux éliminatoires.

Nous entretenions alors de très bonnes relations avec nos voisins à Saint-Nicolas et à Saint-Rédempteur, ainsi qu'avec les partisans et les médias. À peu près tout le monde à Québec est un amateur de hockey. Pendant dix ans, nous avons donc eu le privilège de tisser des liens d'amitié avec des membres de l'organisation des Nordiques, des coéquipiers et des journalistes.

Au début des années 1980, Internet n'existait pas. Les médias écrits s'imposaient comme des références et dominaient le marché. Certains journalistes ont été là du jour où je suis arrivé à Québec jusqu'à celui où j'ai quitté les Nordiques pour me joindre aux Devils du New Jersey. Albert Ladouceur était de ceux que je voyais presque tous les jours. Claude Larochelle, Maurice Dumas, Claude Bédard et Claude Cadorette étaient aussi des journalistes très respectés de la presse écrite.

Je dois avouer que la vie avec les gens des médias à Québec était complètement différente de ce que j'avais connu dans ma Slovaquie natale. Là-bas, je pouvais voir un journaliste une fois par semaine, et pour quelques minutes seulement. Mais, à Québec, c'était sur une base quotidienne... et parfois plusieurs fois par jour. Après les entraînements, après les matchs, pendant nos voyages en autocar, en avion, dans les hôtels, les arénas et lors d'événements spéciaux. Une ambiance presque familiale s'est développée dans nos relations avec la presse.

Avec un peu de recul, je me souviens qu'Albert Ladouceur ressortait du groupe grâce à ce don qu'il a de se rapprocher des gens. Ce professionnel dévoué à son travail était toujours attachant, amical et de bonne humeur. Je le revois avec un sourire éternel accroché aux lèvres. D'ailleurs, qui peut détester Albert ? C'est impossible. Vous savez, il se produit des choses dans un vestiaire. Chaque joueur a sa propre personnalité, et certains peuvent être carrément méchants. De temps à autre, Albert, comme à peu près tous les journalistes, devenait la cible d'une blague, le bouc émissaire. Mais il ne le prenait jamais mal. Je dois même dire qu'il revenait à la charge avec ses fameuses répliques qui faisaient rire tout le monde. Il avait le tour, Albert !

Depuis que j'ai quitté Québec, nos chemins se sont croisés moins souvent. Je le voyais seulement lors d'occasions spéciales à Québec, à Montréal, à Denver, lors des cérémonies d'admission au Temple de la renommée du hockey. Pour tout dire, Albert symbolise parfaitement mes dix années inoubliables à Québec. Du plaisir, du plaisir et encore du plaisir. Vous comprenez maintenant tout mon désarroi lorsque j'ai appris qu'il était atteint de cette terrible maladie qu'est le cancer. Mais, connaissant Albert Ladouceur, je suis persuadé qu'il affrontera cette épreuve avec la vigueur, l'énergie et l'attitude positive qui font sa marque de commerce. Et qu'il va la surmonter !

Il ne me reste plus qu'un souhait : que les dirigeants de la Ligue nationale de hockey accordent bientôt une franchise à la ville de Québec pour que je puisse tenir ma promesse d'assister au premier match des nouveaux Nordiques en compagnie d'Albert. J'ai déjà hâte à ce jour, parce que nous avons tellement de beaux souvenirs à partager.

PETER STASTNY

Avant-propos

Je ne suis ni médecin spécialiste, ni psychologue, et encore moins un charlatan qui concocte des potions magiques ou qui tente de vous persuader que les énergies intérieures, l'élimination du stress, la pensée positive ou une puissance surnaturelle peuvent remplacer la science et la médecine.

Je ne me présente pas comme un prédicateur de la Sainte Parole qui vous suppliera d'invoquer Dieu en prétendant que votre foi suffira pour vous guérir. Consultez leur agenda et vous constaterez rapidement que les problèmes à régler s'empilent pour le Père, le Fils et le Saint-Esprit. La prière n'est toutefois pas un volet qu'on écarte honteusement du revers de la main, du moins, dans ma façon de vivre et de combattre pour que mon existence se prolonge au-delà des frontières que la maladie m'impose.

Ce bouquin ne fait pas, ou très peu, appel à une armée de spécialistes. Mais je n'ai pas pu totalement les ignorer, car je tenais à m'informer de ma situation et des réalités qui deviendront miennes dans les prochains mois. Mes intervenants évoluent dans mon univers depuis des années. Certains composent ma garde rapprochée. Ils partagent ma philosophie.

Je me présente comme un homme ordinaire qui, par une banale journée ensoleillée du mois d'août 2013, a appris qu'il est devenu une autre cible du cancer. Ce 12 août, j'étais l'un de ces nombreux Canadiens qui rejoignaient le triste *country club* mondial des cancéreux. Un sur quatre y laissera sa peau.

Autrefois, nous redoutions de mourir d'une maladie cardiaque. C'était d'ailleurs ma crainte. Cet organe qu'on préfère user par l'amour, même jusqu'à la déchirure, est devenu une mécanique que les cardiologues maîtrisent à la perfection. De sorte que le cancer occupe dorénavant l'avant-scène au pays. Apprendre que j'en souffrais a tout de suite résonné à mes oreilles comme une condamnation.

On m'a présenté ce cancer — et non pas mon cancer — comme l'un des plus meurtriers au pays. En fait, le quatrième. Vous avez sans doute compris que je ne suis pas grugé par le cancer du sein… Ni non plus par le cancer de la prostate, ni par le colorectal. (Ces trois cancers sont actuellement les plus publicisés et financés sur la planète.) Non, mon billet de loterie m'a valu le cancer du pancréas, traître, sournois, imprévisible, et qui achève toujours ses victimes, bien que de nouvelles chimiothérapies permettent une espérance de vie où les années remplacent les mois.

Je n'expose pas de leçon dans ce livre, le premier que je rédige, encouragé depuis longtemps par ma conjointe Céline. Avant la maladie, elle insistait même pour que je tente ma chance dans la rédaction d'un roman. Je vous propose simplement de m'accompagner dans mon cheminement, le temps que mon combat voudra bien m'allouer, et de partager la trajectoire de ma pensée. Vous y lirez également l'histoire d'autres malades qui se sont confiés à moi, ou d'aidants naturels qui les ont accompagnés.

Journaliste sportif depuis quarante ans, dont trente-cinq au *Journal de Québec*, l'idée de me raconter m'a effleuré l'esprit dès les premières semaines du diagnostic. J'ai décidé de m'attaquer finalement à ce projet après de longues entrevues accordées à l'auteur Réjean Tremblay, du *Journal de Québec* et du *Journal de Montréal*, à Josey Arsenault, du 93,3 (Québec), et à Dominic Maurais, de Radio X, toutes consenties dans la première semaine de novembre 2013. La réaction des lecteurs et des auditeurs, leurs milliers de messages au cours des semaines suivantes, a été l'élément déclencheur.

Ce livre s'adresse à ceux qui souffrent du cancer, aux proches et aux aidants, à ceux qui le redoutent et à ceux qui démontrent de la compassion envers les victimes. Vous n'y verrez aucune recette miracle, sauf que la force du mental, la volonté de continuer sa vie, d'aimer et d'être aimé, de rire (l'humour noir sert bien ma cause) et de vous en remettre à la médecine augmenteront vos chances d'allonger votre existence. Vous y découvrirez les différentes étapes psychologiques par lesquelles je suis passé après le diagnostic, l'importance des proches, ce qui m'aide à tenir bon. Au fil de ces pages, vous apprendrez à me connaître plus intimement.

J'espère qu'à la lecture de ce livre vous trouverez des sources de motivation, si le cancer vous a touché. Il deviendra peut-être votre compagnon dans la solitude de la maladie, ce que j'espère que vous ne vivrez jamais. Il propose la vision de la victime que je suis. Je vous ressemble sans doute sur plusieurs aspects, mais sur d'autres, pas du tout. Nous nous posons probablement les mêmes questions sur le «pourquoi moi».

À ceux qui soutiennent une personne aux prises avec le cancer, je souhaite offrir un autre regard, une autre perspective sur les choses. C'est du moins mon humble prétention.

CHAPITRE 1

Quand le malheur frappe

Le 12 août 2013, 11 h 40.

Certaines dates ne s'oublient pas dans la vie. Comme le jour où John F. Kennedy a été assassiné à Dallas (le 22 novembre 1963) ; celui où les terroristes d'Al Qaïda ont anéanti le World Trade Center de New York (le 11 septembre 2001) ; le but de Paul Henderson qui a procuré la victoire au Canada contre l'URSS dans la Série du Siècle de 1972 (à 19 minutes et 26 secondes de la troisième période, le 28 septembre).

Comment oublier la journée et l'heure où la gastro-entérologue m'a annoncé que ma vie dépendra désormais de la guerre que j'engagerai contre le cancer du pancréas, un tueur sournois et méconnu ?

Les vacances d'été filaient bon train. Il me restait deux semaines à écouler à mon rythme, celui de la douce oisiveté. La première saison estivale sans moto pour ma conjointe Céline et moi, après dix-huit ans à rouler, dans mon cas, sur les routes cahoteuses du Québec, dans un sentiment de pleine liberté. Un premier été également au volant d'une décapotable dont nous rêvions pour remplacer nos chevaux d'acier. Céline et moi analysions les balades à venir d'ici le retour au boulot, avec en mains un agenda que nous ne noircissions que quelques jours à l'avance, au gré de notre humeur.

Je me remettais d'un printemps fort chargé au *Journal de Québec,* mais ô combien agréable dans cette profession qui, après quarante ans, me passionnait tout autant qu'à la lointaine époque de l'adolescence, quand j'en rêvais. Mon collègue, le photographe Stevens LeBlanc, m'avait accompagné dans quelques-unes de mes récentes missions, dont un séjour d'une dizaine de jours à Sotchi afin de visiter le chantier olympique, trois cent soixante-cinq jours avant les Jeux. La somme de travail apparaissait colossale en Russie, notamment sur le site d'Adler, au bord de la mer Noire. Le comité organisateur y avait regroupé toutes les infrastructures qui accueilleraient les patinoires et le stade. La sécurité était déjà omniprésente et l'allure patibulaire des policiers et militaires ne nous incitait absolument pas à la franche camaraderie.

En montagne, le défrichement sauvage des forêts avait alors surpris et choqué les médias étrangers, tout comme les groupes environnementalistes du pays de Vladimir Poutine. Le plus gros du travail se révélait de toute évidence l'aménagement des autoroutes et des trains qui permettraient de relier rapidement Adler, le centre-ville de Sotchi, et les sites en montagne. Ces travaux devaient réduire considérablement la durée des déplacements, de plus de deux heures à une trentaine de minutes, entre les trois pôles. On sait maintenant que les Russes ont organisé les J.O. les plus coûteux de l'histoire, et que la corruption y a ruiné de nombreux entrepreneurs et exproprié de leurs résidences des citoyens démunis face à la machine gouvernementale.

Après cette visite chez les Kamarades, j'avais fait un retour dans la boxe professionnelle, monde que j'affectionne particulièrement pour l'humanisme de ses athlètes. Des visites de quelques jours au camp d'entraînement de Lucian Bute à West Palm Beach, en Floride, et de Jean Pascal, à Las Vegas, alors qu'ils se préparaient pour leur combat, qui fut finalement reporté à cause d'une blessure à la main gauche du Roumain.

Après cet arrêt, Stevens et moi avions pris la direction de Traverse City, au Michigan, où Adonis Stevenson s'esquintait dans le pur style vieille école de la boxe pour son premier combat de championnat mondial contre le monarque de la WBC, Chad Dawson. Nous avons découvert un athlète fort sympathique, juste avant son explosion sur la scène internationale et sa conquête du titre mondial, qu'il a ensuite défendu à deux occasions.

Un autre voyage s'était ajouté à cette séquence fort passionnante, cette fois à Denver, quand l'Avalanche du Colorado avait confirmé, en mars, l'embauche de Patrick Roy à titre de vice-président aux opérations hockey et sixième entraîneur-chef des anciens Nordiques.

Entre tous ces périples se poursuivaient la couverture quotidienne du sport et la rédaction des chroniques. Bref, ma belle vie tourbillonnait. N'allez pas imaginer que cet emploi du temps me causait du stress et de l'épuisement. Non, un journaliste ne peut réclamer rien de mieux que cette effervescence et ce bouillonnement dans l'actualité. Et je savais que l'automne s'annonçait tout aussi captivant avec les débuts de l'ex-gardien dans la Ligue nationale, le camp d'entraînement de l'Avalanche, ses deux premières parties, le retrait du chandail du défenseur Adam Foote, le combat de Stevenson, au Colisée, contre l'aspirant britannique Tony Bellew.

Après trois semaines de vacances, je ressentais déjà la fébrilité de la rentrée. Je n'avais pas eu si hâte de retrouver ma place dans la salle de rédaction depuis longtemps, au point même d'envisager de reporter ma cinquième et dernière semaine de congé à la période hivernale.

Une douleur lancinante

Rien ne me mettait en garde contre une si mauvaise nouvelle que le cancer. Depuis février, je m'entraînais à nouveau dans le but d'améliorer ma condition physique et de perdre une dizaine de livres. Je surveillais davantage mon alimentation et j'évitais les sucreries depuis que mon médecin de famille m'avait mis en garde contre un risque de diabète. Il m'appartenait d'apporter les correctifs pour améliorer la situation, et en juillet j'attendais les résultats d'analyses sanguines. Absolument rien pour penser à mes derniers jours. J'ignorais que la *bébitte* que tant d'êtres humains redoutent avait commencé son œuvre destructrice à l'intérieur de mon corps. J'avouerai cependant que je ressentais depuis un certain temps une douleur inhabituelle, lancinante et presque constante. C'est la question que les gens m'ont posée le plus souvent : « Avais-tu mal quelque part ? » Une réponse affirmative s'imposait. Savoir écouter son corps, nous dit-on... Recommandation qu'on oublie trop souvent. On préférerait qu'il se taise quand ça ne tourne pas rond.

J'attribuais ma fatigue à mon printemps chargé, une excuse injustifiée. Pire encore, j'évoquais le stress. Non, le stress ne provoque pas le cancer. Les médecins sont catégoriques sur ce point. Une visite chez mon omnipraticien s'est donc finalement imposée. Il m'a recommandé de consulter un spécialiste et de subir les examens qui nous permettraient d'identifier l'origine de cette douleur au niveau des reins. Le mal grimpait dans ma colonne vertébrale, comme si un menuisier y plantait des clous de toutes ses forces. Au ventre, entre le nombril et le sternum, je sentais une torsion que je comparais au malaise ressenti à l'approche d'une décision importante ou d'une situation inquiétante.

Le verdict

Nous voilà donc le 12 août, dans le bureau de la gastro-entérologue, ma nièce de surcroît. Le premier examen de la journée, une résonance magnétique, lui suffit pour confirmer que je souffre du cancer du pancréas. Curieusement, au moment où je reçois la nouvelle, je ne réagis pas. Une vilaine grippe ne m'aurait pas causé plus d'émoi. La spécialiste me parle d'un « néo du pancréas » (*neuroendocrinien du pancréas*). Pour moi, ça ne sonne pas comme le cancer. Toutefois, en voyant les beaux yeux bleus de ma Céline s'emplir de larmes, je comprends que la situation est plus tragique que je ne le crois. D'autant plus que j'étais très confiant au moment de me présenter dans le bureau de ma nièce. Le résultat de mes prises de sang, reçu la veille, ne révélait rien d'anormal.

J'expliquais ma perte de poids par mon entraînement, et la douleur par une blessure, comme un muscle étiré en accomplissant un exercice trop violent ou mal exécuté. Pourquoi pas un ulcère de l'estomac que je soignerais pendant quelques semaines? En plus, le début de diabète, la raison même de cet examen sanguin, m'était apparu sous contrôle.

Quoi qu'il en soit, les examens suivants ont révélé que je ne pouvais subir d'intervention chirurgicale. Le foie est touché par des lésions, qu'on appelle des métastases. Le monstre étend ses tentacules. Je devrai livrer le combat de ma vie, assurément

le dernier. Et cette bataille, je ne tarde pas à le découvrir, enrô-
lera ma famille. À 61 ans, aucun de mes projets ne tenait plus
la route. Je devenais une autre victime du cancer.

Une famille touchée

Ce n'est pas sans raison que la tristesse a anéanti rapidement
ma conjointe. Nous ne formions un couple que depuis 2011,
bien que copains de route par la moto depuis 2010. À 56 ans,
Céline, tout comme moi, caressait de beaux projets de vie
commune. La retraite approchait dans mon cas. J'envisageais
seulement d'attendre l'inauguration du nouvel amphithéâtre
de Québec et, qui sait, le retour des Nordiques, avant de
prendre la grande décision. Nous pensions à sa famille qui
éventuellement s'agrandirait, avec la naissance de petits-
enfants. Nous planifiions déjà des voyages à Disney World.
En quelques minutes, après une pluie légère de mots, tous nos
rêves explosaient. Grâce à ses connaissances médicales
acquises au fil de ses vingt-huit ans de vie commune avec son
ex-conjoint, un gastro-entérologue, Céline avait tout de suite
compris que ma nièce nous annonçait un cancer sournois et
foudroyant. Elle redoutait déjà le pire quand celle-ci avait pris
soin de requérir sa présence dans son cabinet avant de laisser
tomber le diagnostic fatal.

Elle a vu ma nièce d'une blancheur cadavérique tapotant
ses dossiers, hésitant à prendre la parole. Elle mettait du
temps à rassembler ses idées, à trouver les mots précis.

La D^re Beaudet venait de me condamner avec un cancer
qui n'accorde généralement que quelques mois d'espérance

de vie. «Non, pas celui-là, pas l'un des pires», s'était dit Céline. Elle aurait tant aimé pouvoir le transformer d'un coup de baguette magique en un cancer moins dévastateur. La vie lui est apparue subitement injuste. Déjà que Céline avait perdu sa mère bien-aimée à cause d'un cancer du canal cholédoque, qui l'avait emportée en neuf mois. Elle ne comprenait pas pourquoi cette maladie venait encore détruire son existence, au moment où elle commençait à peine à reconstruire sa vie.

Tout se passe très vite dans la tête de la personne qui accompagne le malade. Certaines d'entre elles envisagent même, le temps d'un flash, de s'enfuir. Pas Céline. Cette idée ne lui a jamais effleuré l'esprit. Bien au contraire, elle s'est dit qu'elle devait rester forte, sereine et surtout réaliste pour mieux m'apaiser, marcher à mes côtés. Elle a voulu en savoir le plus possible sur mon dossier à compter du Jour 1. Elle n'a jamais craint de ne pas être à la hauteur de la situation ou d'ignorer comment réagir. Malgré tout, une petite cloche résonnait dans sa tête, lui rappelant que ce cancer cruel et implacable se manifestait alors qu'une nouvelle vie à deux prenait à peine son envol. «Suis-je juste de passage dans sa fin de vie pour le guider jusqu'à la mort?» s'était-elle interrogée. Ce questionnement refera surface au fil des semaines suivantes, pour alimenter un sentiment d'injustice. Pourquoi nous?

Derrière le bouclier cartésien de ma conjointe, je devinais la blessure profonde qui lui déchirait les entrailles. Elle se montrait forte, mais je la savais ébranlée. Et je me sentais coupable de lui imposer cette condamnation du destin qui devenait automatiquement le sien. N'eût été la frayeur de vivre les prochains mois comme une âme à la dérive, j'aurais eu le goût de lui crier de m'oublier. À quelques années de la soixantaine dans son cas, j'estimais qu'il était très injuste de lui infliger tous ces sacrifices.

Je n'allais pas tarder à découvrir sa peine et sa fragilité derrière ce bouclier. La souffrance dévore le métal plus efficacement que la rouille.

Pourquoi moi ?

Depuis le moment fatidique où j'ai appris que le cancer du pancréas mettrait sûrement un terme à ma vie, à une date que la maladie choisirait et que je ne pouvais espérer beaucoup repousser, je me pose cette incontournable question : pourquoi moi ?

Aucune victime n'encaisse une telle nouvelle en se disant que cela lui semble normal à notre époque ; le cancer frappe sans discernement toutes les couches de la société et trop souvent sans émettre de signal d'alarme.

Pourquoi moi ?

Dès l'instant où l'on comprend l'ampleur du diagnostic, que la tête cesse de nous tourner et les images de s'entremêler, qu'on absorbe le choc, on se questionne sur ces deux mots. On souhaiterait tellement trouver une réponse pour comprendre le drame dont on devient le principal acteur, jusqu'à la cloche du dernier round.

Un jour, un oncologue a simplement répondu à son patient par une autre question : « Pourquoi pas ? » Il ne pouvait fournir une réponse plus éclairée pour justifier le cancer de son patient.

Un autre médecin a préféré l'allusion à une loterie. Un billet a été tiré et mon nom s'y inscrivait en lettres rouges. Ce n'est pas vraiment ce que l'on demande à la vie. Les billets de loterie que j'achetais me permettaient de rêver à la fortune, à une vie encore plus confortable et douillette, et non à un combat exigeant qui allait m'emporter et, probablement, détruire beaucoup de choses sur sa route. On n'achète jamais un billet pour gagner sa mort. À moins de jouer à la roulette russe.

Le «pourquoi moi» reflète assez fidèlement le piètre niveau de nos connaissances médicales. À moins d'accompagner un proche combattant le cancer, je ne connais personne qui écoule des heures de loisir à consulter des livres de médecine (ou, pire encore, Internet) pour approfondir ses connaissances sur le sujet. On s'en remet donc à ce qu'on entend depuis des années de la part des spécialistes, des scientifiques et des psychologues.

Nos questions prennent cette direction quand on s'efforce de cerner la source du mal qui nous frappe. On s'imagine, bien souvent sans s'en rendre compte, que tous les types de cancers s'expliquent de la même façon, mais il n'y a rien de plus faux. Est-ce que le tabagisme est en cause en ce qui me concerne, alors que je n'ai jamais fumé de ma vie? La consommation d'alcool figure-t-elle parmi les risques, alors que je ne me considère même pas comme un buveur social? Suis-je une victime de l'hérédité, bien que je ne connaisse aucun membre de ma famille qui a été tué par le cancer? Ai-je négligé de prendre soin de mon corps en levant le nez sur ma forme physique ou sur la pratique régulière de sports? Non, pas plus que je ne négligeais mon entraînement. Obtenir un non catégorique à toutes ces questions me plonge encore plus profondément dans l'incompréhension.

J'ai remarqué que plus je cherchais une raison à ce cancer, plus je me culpabilisais de ne pas en trouver. Mais pourquoi serais-je coupable d'une maladie si cruelle, que je n'ai jamais désirée ni même envisagée? Du moins, pas cette catégorie de cancer. S'il y en a certains que je pouvais craindre, ce sont bien ceux de la prostate et des intestins. Je m'appliquais à passer mes tests annuels dans le cas du premier, depuis l'âge de 50 ans. J'ai également subi une colonoscopie dans la jeune cinquantaine, sans oublier les examens annuels de routine pour ce groupe d'âge. Je ne redoutais donc pas le cancer, sauf ces deux-là, mais sans en faire une phobie.

L'incapacité à trouver des raisons précises au cancer a constitué une source de colère et de rage pour la nouvelle victime que j'étais. J'aurais presque puisé du réconfort dans l'identification d'une raison majeure qui m'aurait permis de me culpabiliser. J'acceptais très mal de souffrir, alors que je n'y étais absolument pour rien. Il me fallait l'accepter, et le plus rapidement possible, car nourrir cette colère ne ferait qu'envenimer la situation.

Inévitable au moment du diagnostic, la colère ne doit cependant pas s'installer en permanence. Elle ne ferait qu'alimenter un sentiment de culpabilité ou, pire encore, me plonger dans une profonde dépression qui risquerait de gâcher les jours restant à mon agenda. D'où l'importance pour moi de recourir à la compétence d'une psychologue proposée par les soins palliatifs de l'Hôtel-Dieu de Québec, Lucie Casault. Il me tardait de savoir comment réagir à cette mauvaise nouvelle et d'essayer de comprendre de quelle façon le cancer changerait ma vie. Je voulais connaître la réaction de ma conjointe et celle de ses enfants. Les conseils de Mme Casault m'ont effectivement aidé à engager de front la bataille qui commençait pour moi. Puisque j'avais accompagné ma première épouse dans sa lutte contre le cancer des poumons, quatre ans plus tôt, je savais que le déni n'aiderait pas ma cause. Mme Casault me l'a rappelé et j'ai décidé de m'adapter le plus rapidement possible à mon diagnostic, à un point tel que je me suis demandé si je ne me jouais pas la comédie. La psychologue m'a rassuré sur ce point : elle me sentait sincère dans ma démarche.

Pourquoi pas eux ?

On ne tarde pas à découvrir, même en acceptant le diagnostic, qu'on ressent facilement de l'agressivité envers les inconnus qu'on croise dans la rue. D'où le sentiment d'injustice et le «pourquoi moi» qui refait surface sous un autre angle. Je me souviens d'être entré dans une rôtisserie pour acheter du poulet. J'entendais la conversation entre quatre personnes probablement dans la soixantaine. Elles discutaient de l'hiver à venir, de leurs condos en Floride, du temps agréable qu'elles y passeraient. Naturellement, le ton se voulait guilleret et je le comprends. Mais si j'avais pu leur verser la sauce barbecue sur la tête et les renverser de leurs chaises, je n'aurais pas hésité. Pourquoi moi et pourquoi pas l'une de ces personnes ?

Depuis ce jour, je ne vois plus les personnes âgées, du moins plus vieilles que moi, de la même façon. Je les envie, sans toutefois les jalouser. Et mon état de santé, comparativement à celui de ces aînés, renforce ma conviction que vieillir n'est pas un privilège accordé à tous et qu'on devrait se réjouir d'ajouter une année à notre vie à chacun de nos anniversaires.

Dans les jours qui ont suivi, j'observais beaucoup les gens dans la rue. Je tolérais mal ceux qui avaient un surplus de poids et qui s'empiffraient de *fast-food*. Je rageais intérieurement quand d'autres rigolaient en racontant leur beuverie de la veille. Bref, je cherchais une victime qui méritait davantage le cancer du pancréas que moi. Qui aurait fait des gestes justifiant ce cancer.

Le «pourquoi moi» ne s'efface pas de notre tête, même si on le croit évaporé à un moment donné, parce qu'on s'adapte graduellement et péniblement à notre nouvel état de santé. Le questionnement revient dans les moments de déprime. La perspective de mourir nous trouble davantage; le combat qu'on mène nous décourage, parce qu'on ne peut nier sa conclusion fatale. La vie joyeuse des gens qui nous entourent nous ramène constamment à notre réalité, autant de raisons qui peuvent faire resurgir ce profond sentiment d'injustice. Finalement, trouver une réponse à «pourquoi moi?» reste impossible et il m'aurait fait grand bien de refiler mon billet de loterie à quelqu'un d'autre. Il vaut mieux tenter de comprendre le sens du «pourquoi pas?» de l'oncologue philosophe.

CHAPITRE 2

Le cancer du pancréas, un tireur d'élite

Monsieur Ladouceur, nous avons analysé les résultats de vos derniers examens et, à notre grand étonnement, la chimiothérapie a réussi des miracles dans votre cas. Honnêtement, nous ne parvenons pas à l'expliquer. Votre cancer du pancréas n'existe plus. Il a été anéanti. Nous pensons même qu'il ne récidivera jamais. Remerciez le ciel et vivez à plein les prochaines années de votre vie…

Mon chien Nala s'est mis à japper comme une bête éperdue dans la maison. Il m'a réveillé et… confronté à ma triste réalité. Je rêvais à l'impossible, comme les milliers de victimes du cancer du pancréas au cours des dernières décennies. Ce type de cancer, méconnu de la population, ne pardonne pas. La guérison n'existe pas. Les malades qui acceptent la chimiothérapie espèrent seulement qu'elle ralentira la progression du monstre qui gruge ce tout petit organe perdu dans le corps humain. La plupart du temps, l'espérance de vie du malade se calcule en mois.

Ce cancer n'a jamais reçu toute l'attention qu'on accorde depuis quelques années aux «cancers vedettes» — poumon, sein, prostate et intestin. On en entend parler un peu quand des célébrités en meurent. Qu'on se rappelle Steve Jobs, le président d'Apple, les acteurs et actrices Patrick Swayze, Joan Crawford, Ben Gazzara, Michael Landon, du chanteur Luciano Pavarotti, de l'ex-joueur de football Gene Upshaw, et, plus près de nous, du ministre Claude Béchard. Par conséquent, les spécialistes du cancer du pancréas bénéfi-cient de moins de 1 % des fonds de recherche et des dons de bienfaisance, selon l'organisme Charity Intelligence Canada. Pas étonnant que les scientifiques de la médecine mondiale se tournent vers des cancers qui leur vaudront un finance-ment adéquat et les moyens d'effectuer leur boulot à la hau-teur de leurs aspirations.

Les statistiques publiées par la Fondation canadienne du cancer du pancréas, la seule du pays à se consacrer unique-ment à ce cancer, donnent la chair de poule et diminuent l'envie de combattre chez nombre de victimes. À quoi bon vouloir résister à une maladie grave qui en fin de compte remportera la victoire ? Très souvent, elle accomplit sa mis-sion dans un court laps de temps. Rien pour remonter le moral des troupes.

Le cancer du pancréas est le quatrième cancer le plus mortel au pays. Des personnes diagnostiquées, 75 % en meurent la première année et 94 % dans les cinq années suivant le diagnostic (source : Cancer du pancréas Canada). Le taux de survie n'atteint que 6 % et on ne dénote aucune amélioration depuis quarante ans. En 2013, des 39 400 hommes souffrant d'un cancer au Canada, 5,5 % sont décédés des suites du cancer du pancréas, ainsi que 6 % des 36 100 femmes atteintes (Société canadienne du can-cer). Il est impossible de greffer un pancréas et on ne peut pas vivre sans cet organe qui produit les sucs digestifs, l'in-suline et d'autres hormones. Toutefois, une opération reste possible quand le mal est détecté très tôt, mais à peine 15 % des patients bénéficient de ce privilège, s'il en est un... La majorité — et j'en suis — encaisse le diagnostic après que la maladie s'est propagée à des organes environnants, dont le foie, qui souvent devient le premier capteur des métastases. L'opération devient alors impossible et une infime proportion de patients peut espérer une survie de cinq ans.

Peu de symptômes

Le cancer du pancréas appartient à cette catégorie de maladies dites « affections silencieuses ». Les symptômes, peu nombreux, se détectent alors que le mal fait des ravages depuis longtemps. On consulte rarement son médecin parce qu'on redoute ce cancer. Les médecins le découvrent par hasard, à l'occasion d'examens pour cerner un autre problème de santé. Comme il s'installe progressivement dans le système, il est très difficile de le détecter à un stade précoce. D'ailleurs, il n'existe pas de test de dépistage comme tel. Les symptômes sont non spécifiques et se manifestent à un stade avancé, soit localement ou à distance.

Cela dit, les raisons expliquant la formation de cellules cancéreuses dans le pancréas restent inconnues à ce jour. Mais des facteurs en augmentent le risque, dont l'âge (plus de 60 ans), les antécédents familiaux, le diabète, l'obésité, le tabagisme et les pancréatites chroniques. Pas un de ces facteurs ne s'applique dans mon cas. Et, gens du monde médical, je vous suggère d'ajouter le hasard et la malchance à vos facteurs de risque. En fait, les symptômes qui l'annoncent sont en apparence si banals qu'on peut difficilement s'en inquiéter. La douleur la plus notable se décèle dans la partie supérieure de l'abdomen, entre le nombril et le sternum (épigastre). Elle irradie dans le dos. Elle augmente la nuit et quand le malade est allongé, ce qui signifie généralement qu'elle n'est pas de nature musculaire. La douleur nocturne est toujours significative.

La victime perd du poids. Dans mon cas, cette perte correspondait à un début d'entraînement intensif. Triste hasard. J'étais tellement fier de constater les bons résultats de mes efforts au gymnase ! Mais j'ignorais que je recevais de l'« aide » à l'intérieur de ce corps que je voulais remettre en forme. J'aurais dû me surprendre de perdre si rapidement les dix premières livres.

La fatigue est plus présente, aussi. Normal pour moi, car je venais de conclure un printemps fort occupé et agrémenté de nombreux voyages professionnels. Tout reviendrait à la normale après les deux premières semaines de vacances, avais-je pensé.

L'élévation du taux de sucre et une urine plus foncée constituent d'autres mises en garde. Ajoutons finalement des nausées, des vomissements, un teint jaunâtre et la diarrhée. Je n'avais rien de tout ça.

Comme des milliers de personnes, je n'ai jamais vu venir le coup. Il a fallu que la cadette de la famille, étudiante en troisième année de médecine, remarque que mes symptômes ressemblaient à ceux du cancer du pancréas. J'ai ricané, alors que j'aurais dû pleurer et courir vers le premier hôpital. Mais, comme la majorité des gens, je n'écoutais pas mon corps et je ne paniquais pas à la moindre douleur. Pour une fois dans ma vie, j'aurais dû être douillet et peureux.

Le premier diagnostic

Il faut savoir écouter les appels de détresse de son corps, ce qu'on ne capte pas facilement. On attend, on patiente, on blâme différentes sources pour justifier la douleur qui nous tenaille. On hésite à prendre le taureau par les cornes, craignant probablement d'entendre la nouvelle qu'on redoute. Dans plusieurs familles, malheureusement, la difficulté à obtenir un premier rendez-vous dans notre système de santé retarde tout le processus.

La raison première qui nous pousse à retarder la consultation est toutefois la peur d'apprendre une mauvaise nouvelle. Évidemment, on se doute bien que quelque chose ne tourne pas rond quand la douleur persiste. En décalant le premier examen, on espère que cette douleur s'estompera et qu'on n'aura pas à affronter la réalité.

Le premier signal d'alarme m'est donc venu de la plus jeune fille de Céline, Sarah-Julie. Un soir, elle écoutait la discussion entre sa mère et moi, alors que nous échangions sur la nature de la douleur. Elle m'a posé quelques questions avant de conclure au cancer du pancréas. Trois mots qui m'ont fendu l'âme comme un coup de hache. Pouvait-elle avoir identifié si rapidement la cause ? Pourquoi pas, elle qui passe des heures et des heures le nez dans ses bouquins à étudier.

Le choc fut tout aussi brutal pour sa mère. Les deux ou trois nuits suivantes lui ont laissé peu de place au sommeil. En ce qui me concerne, rien ne me troublait, car je ne pouvais croire un instant que mon rythme de vie pouvait me diriger vers cette fin. Moi, le cancer ? Non ! Il reste que Sarah-Julie tapait dans le mille. Elle a bien tenté de rectifier le tir, d'apporter d'autres arguments pour ne pas me terroriser inutilement. Elle s'excusait de cette analyse peut-être trop vite exécutée. Malheureusement, elle se montrait d'une perspicacité redoutable. Le poids de ce diagnostic lui fut par la suite lourd à porter. Elle se sentait coupable d'avoir parlé trop rapidement et surtout d'avoir évoqué cette maladie en se fondant uniquement sur ses quelques années d'études, malgré son expérience limitée sur le terrain. Il lui a fallu de longues discussions avec ma gastro-entérologue pour comprendre qu'elle ne pouvait absolument pas s'accabler du moindre reproche. Sarah-Julie a réagi comme le bon médecin qu'elle deviendra. Elle n'avait rien à se faire pardonner, et n'avait surtout pas à s'excuser. Au contraire, je lui devais des remerciements. Sans son intervention, j'aurais sans doute attendu davantage avant de consulter mon médecin, laissant ainsi ce cancer poursuivre sa destruction en toute impunité à l'intérieur de mon corps. Sarah-Julie m'a incité à écouter ses appels de détresse, et la décision de devancer de quelques semaines le rendez-vous avec mon omnipraticien a probablement joué en ma faveur au fil des mois.

Après avoir appris cette très mauvaise nouvelle, je me suis morfondu à l'idée que j'aurais peut-être dû subir un examen complet, de la tête aux pieds, une fois par année. Un examen qu'on obtient plus facilement et rapidement dans le secteur privé. Mais les bénéfices justifient la dépense. Une personne de mon entourage a probablement évité un cancer des reins en se pliant à cet examen obligatoire au sein du cabinet de professionnels pour lequel il travaille.

Il me fallait me ressaisir et encaisser le coup. Il ne me servirait à rien de me culpabiliser, de m'en vouloir pour une erreur que je n'ai probablement pas commise. De la négligence? Non, pas vraiment. C'était mon destin, je présume. Et pourquoi pas?

CHAPITRE 3

Survivre jusqu'au retour
des Nordiques

Dans les minutes qui ont suivi le diagnostic, une deuxième onde de choc m'a fendu l'âme et m'a ébranlé encore plus fort que l'annonce de la maladie, même si ce raisonnement peut sembler illogique. Qu'est-ce qui peut être pire que la mort ?

Je découvrais que la maladie sonnait presque assurément le glas de ma carrière de quarante ans en journalisme sportif. J'aurais préféré encaisser un coup de masse en plein front. À presque 62 ans, je ne prévoyais absolument pas ranger définitivement stylo, calepin et ordinateur pour devenir simplement un observateur de la scène sportive. Contrairement à plusieurs collègues, je n'envisageais pas la retraite avant quelques années. Je vibrais encore pour ma profession. Me rendre quotidiennement au *Journal de Québec* ou sur les lieux des événements sportifs soulevait toujours en moi un tourbillon de plaisir et de passion. Le cancer me volait ma vie professionnelle et brisait mon canevas de fin de carrière. J'ai ressenti une énorme frustration et je crois qu'elle ne s'est jamais totalement dissipée. Je présume qu'on réagit différemment si notre boulot nous traîne au pied comme un bloc de ciment et qu'on y écoule le temps en attendant fébrilement la retraite. Peut-être que ma carrière occupait trop de place dans ma vie, comme des proches le prétendent. J'ignore quoi leur répondre.

Ma vie s'est construite autour de cette profession formidable qu'est le journalisme sportif. Mon premier mariage a duré vingt-huit ans, jusqu'au décès de mon épouse, emportée par un cancer des poumons à 51 ans. Josée et moi n'avons pas eu d'enfant. La vie l'a décidé pour nous, mais je me demande parfois si nous n'aurions pas dû recourir à certains moyens pour corriger la situation, si cela avait pu nous aider. Mon épouse menait une carrière dans l'univers des cosmétiques, au sein d'une grande entreprise pharmaceutique. Nous consacrions beaucoup d'heures à nos emplois, mais nous parvenions à synchroniser nos horaires. Jamais l'un ou l'autre n'a perçu son partenaire comme un obstacle au travail. Je lui dois en fait une grande part de ma réussite professionnelle.

J'ai vu trop de confrères et de consœurs qui n'ont pu suivre le chemin qu'ils voulaient dans le journalisme, pour diverses raisons matrimoniales. Pratiquer cette profession en s'y consacrant à cent pour cent, en saisissant toutes les occasions de progresser, exige beaucoup de patience et de compréhension de la part du conjoint. De toute évidence, la présence d'un ou de quelques enfants dans notre couple aurait détourné le cours de la rivière. Mon épouse aurait dû faire des sacrifices pour m'aider à assurer la couverture des Nordiques de Québec, tant à l'étranger qu'à domicile, comme je l'ai fait pendant les seize années de leur existence. Nos horaires respectifs auraient été souvent bouleversés, avec des gamins dans la chaumière. Au lieu de cela, nous n'avions pas à nous préoccuper de la garderie, du suivi scolaire, de l'éducation, des loisirs et des fêtes. Pas de soucis liés à la gastro d'un des rejetons, à la période turbulente de l'adolescence, à la pratique de tel ou tel sport. Bref, nous n'avons pas connu le quotidien d'une famille avec des enfants.

J'ai donc mené une grande partie de ma vie en fonction de ma carrière et je n'éprouve pas de regrets ni de déception.

Il ne me servirait à rien de ruminer le passé, de toute façon. Je reconnais cependant que la présence de quatre enfants dans mon second couple me permet de découvrir des joies que j'apprivoise. Au moment d'écrire ces lignes, nous attendons impatiemment la venue de la première petite-fille de la famille qui me permettra de devenir grand-papa par alliance. Cet enfant devrait naître en juillet 2014. Je ne pouvais avoir une plus belle source de motivation dans mon combat contre le cancer.

La nouvelle du jour

Le moment où j'ai officiellement annoncé mon départ à mon employeur fut pénible à vivre. Pourtant, le rédacteur en chef Sébastien Ménard, le directeur de l'information Jean Laroche, le directeur des sports Luc Grenier et le président du syndicat Stéphane Villeneuve connaissaient tous mon état de santé et savaient qu'il me forcerait à abdiquer. J'avais pris soin de les informer dès le premier jour et de les prévenir des conséquences sur ma carrière. De plus, le matin de notre rencontre, la nouvelle a été diffusée par une station de radio de Québec, sous forme d'une manchette détaillée, reproduite sur Internet des centaines de fois dans la journée, alors que je ne m'y attendais pas. Je croyais qu'un collègue allait simplement mentionner, dans le cadre de son émission, que j'entreprenais ce combat contre le cancer, sans plus de précision. Cette nouvelle précédait de vingt-quatre heures, ce vendredi-là, l'annonce de mon employeur à nos lecteurs. Je ne lui en tiens pas rigueur. Il m'est arrivé, à moi aussi, en quarante ans de métier, de vivre des situations confuses où j'ai mal saisi les propos d'une tierce personne.

Je me suis donc présenté dans le bureau du rédacteur en chef qui donne sur la salle de rédaction. Des collègues y besognaient sur leur ordi, mais je les sentais préoccupés. Ils jetaient régulièrement des coups d'œil vers le bureau vitré. Sans rien entendre, ils pouvaient tout de même comprendre notre désarroi d'après notre langage corporel. Je jouais mon propre drame, comme dans un film muet en noir et blanc. La couleur n'existait plus dans ma vie. Je me sentais pourtant solide comme le roc pour confirmer ce qu'avaient déjà appris mes quatre interlocuteurs : une absence indéterminée qui risquait fort de devenir définitive. Pourtant, le piège de l'illusion me guettait, et dès le début je me suis efforcé de croire à un retour au travail possible. Ne serait-ce que progressivement, quelques mois plus tard.

À un moment donné, j'ai craqué et fondu en larmes. Tout m'apparaissait tellement irréel ! L'année 1979, celle de mon arrivée au *Journal de Québec*, me semblait dater de seulement quelques mois. Tant de plans et de projets qui jauniraient sur la table pour les quelques années que je m'accordais encore dans cette profession. Ironiquement, pour ne pas dire sadiquement, la maladie me tirait droit au cœur, alors que de grands projets pour Québec me tenaient tellement… à cœur. Je croyais fermement au retour des Nordiques et je voulais vivre la première saison de la nouvelle cuvée, pour boucler la boucle sur le chapitre le plus important de ma carrière, ces seize années qui m'ont procuré mon identité professionnelle.

Du premier au dernier match

J'ai la satisfaction d'être le seul journaliste de Québec à avoir assuré pleinement la couverture des Fleurdelisés de la LNH pendant leurs seize saisons, les bonnes comme les mauvaises. S'il n'était pas décédé tragiquement dans un accident de la route à l'été 1995, moins de trois mois après le départ de l'équipe pour Denver, mon loyal partenaire et collègue Claude Cadorette aurait lui aussi revendiqué ce privilège. Nous formions un duo performant — permettez-moi de le penser — et motivé. Nous ne cachions pas notre fierté de tenir le coup d'une saison à l'autre, alors que nos concurrents recouraient à de nombreux journalistes. Des adversaires coriaces et compétents qui ne nous rendaient pas la vie facile, qui nous piquaient au vif et nous forçaient à redoubler d'ardeur.

Et puis, comment accepter de se voir forcé à l'inactivité deux ans avant l'ouverture du nouvel amphithéâtre de Québec, qui sera l'un des beaux de la LNH, le jour où celle-ci voudra bien s'y réinstaller avec les Bleus ? J'ai milité en faveur de cette construction depuis le jour lointain où la menace du déménagement des Fleurdelisés a noirci les pages de l'actualité sportive. Des années à attendre l'élection d'un maire, Régis Labeaume, et d'un premier ministre, Jean Charest, qui comprendraient la nécessité de cet édifice multifonctionnel pour Québec et l'Est de la province. Le champ d'action s'élargit encore plus lorsqu'on englobe la population vivant dans un rayon d'une heure de route du site choisi, voisin du Colisée.

Je voulais assister à la construction de l'amphithéâtre et surtout à son inauguration en 2015. Par ma profession, j'allais me retrouver plongé au cœur de l'action. Après quoi, en croyant que les Nordiques y établiraient leurs quartiers dès la saison 2015-2016, j'envisageais sérieusement la retraite à l'été 2016. Même à 61 ans, je disais à la blague qu'il me faudrait bien commencer à travailler un jour avant que ma vie ne cesse. Quand on aime tant son boulot, on souhaiterait l'accomplir même dans la maladie, ne serait-ce que pour se donner une arme de plus pour la combattre. J'ose espérer que, entre l'écriture de ce livre et sa publication, j'aurai replongé ma plume dans l'encrier, même si ma lutte pour survivre et accompagner ma famille dignement jusqu'à la fin restera prioritaire dans le combat que je mène.

Avec l'appui de mon employeur, j'ai pu conserver un statut de collaborateur-pigiste qui me permettra de me remettre à la tâche, au gré de ma santé. Chose certaine, la maladie me prive aujourd'hui de projets de voyages professionnels et personnels. Je ressens d'ailleurs un vide profond quand je feuillette mon agenda et que je n'y trouve ni heure de départ dans un aéroport ni réservation d'hôtel. J'adorais prendre l'avion, malgré les contraintes de plus en plus nombreuses. Mon arrivée dans une ville, que je la connaisse ou non, provoquait une décharge d'adrénaline. Voyager pour le travail me permet d'agrandir énormément mon terrain de jeu.

À l'eau, les projets de retraite

Si le cancer du pancréas détruisait mon rêve d'une fin de carrière sur les chapeaux de roue, grâce à ces grands projets de société à Québec, il me volait également presque tous mes projets de retraite. Sachant que tout doit s'arrêter un jour, si l'on désire profiter de la vie et de ses acquis, j'avais élaboré des plans pour vivre heureux au moins une dizaine ou une quinzaine d'années en compagnie de ma conjointe Céline. On ne connaît jamais la durée de sa vie, mais on l'espère longue et douce, surtout dans les dernières années. Comme nombre de personnes de mon entourage, je m'imaginais séjourner au soleil afin d'écourter nos hivers québécois. Je prévoyais visiter ces pays d'Europe que je n'ai pas encore eu la chance de découvrir. Pourquoi ne pas louer un appartement à Berlin, Paris, Amsterdam, Barcelone, Stockholm, un mois chaque année, et vivre comme les citoyens de ces villes ?

En dehors de ces voyages enivrants, et peut-être irréalisables dans certains cas, il m'appartenait de profiter des petits et grands bonheurs quotidiens au sein d'un beau grand clan tissé serré, celui de ma nouvelle épouse. Je ne pouvais m'en remettre à ma première belle-famille, fragile, influençable et détruite par le dérapage d'un de ses membres, dont le comportement machiavélique a tout détruit pour une question d'héritage auquel il prétendait indûment. Je ne pouvais éprouver de la compassion pour ce triste personnage, mon lien le plus solidement noué avec mon passé. Moi qui n'ai pas eu d'enfant, qui n'ai ni frère ni sœur, qui ai perdu mes parents relativement tôt, qui me suis retrouvé sans ancrage familial, j'ai par ailleurs hérité d'un très beau cadeau de la vie avec ces gens qui partagent dorénavant mon existence. Je pensais pouvoir agréablement récupérer le temps perdu.

Le cancer en a décidé autrement.

L'hôpital a remplacé les hôtels où je rêvais de séjourner. La chimiothérapie s'est imposée comme une activité à ne pas manquer, toutes les deux semaines. Les médicaments se sont multipliés. Au lieu de craindre une mort trop rapide qui viendrait interrompre une belle fin de parcours, je me suis mis à l'attendre sans en connaître la date exacte, mais la sachant relativement proche.

Devant un diagnostic de cancer du pancréas, les projets ne se bâtissent plus en mois ou en années. Ils se construisent du lever du soleil jusqu'à son coucher. Un mois devient du long terme. Imaginez alors une année... Nous devons nous familiariser sans perdre de temps avec notre nouvel univers lilliputien, sans plan d'envergure. Et moi qui raffolais tant des vastes projets que je pouvais élaborer des mois à l'avance !

La joie des autres

Il faut peu de chose pour me troubler et gruger mon enthousiasme. En décembre dernier, alors que je travaillais à la rédaction de ce livre, les filles de Céline écoutaient de la musique de Noël et chantaient (hurlaient) dans la maison. Je ne trouvais plus mes mots, je cherchais mes idées et les touches du clavier pour les exprimer. La pensée que je vivais peut-être mon dernier temps des fêtes est vite venue me hanter. Je redoutais déjà le moment où j'entendrais le *Minuit, chrétiens* ou *Sainte Nuit* à la messe de minuit. Je n'allais pas rater ce rendez-vous annuel pour autant. S'il y a une messe dans l'année que je ne manque jamais, c'est bien celle de la veille de Noël.

Le temps des fêtes ne fut donc pas totalement à l'allégresse. Recevoir des vœux d'inconnus qui me souhaitaient bon courage dans la maladie me ramenait constamment à ma réalité. Je me suis senti envahi par la tristesse engendrée par ces chants sur la naissance du Christ, plutôt que d'en savourer toutes les notes, comme autrefois. Je respirais profondément et je ravalais mes sanglots pendant que Céline me tenait la main, ressentant toutes les émotions qui me secouaient.

Il faut dire que la journée du 24 décembre avait été éprouvante. J'avais subi un traitement de chimiothérapie de cinq heures à l'hôpital. Après quoi, pendant quarante-six heures après le jour de Noël, j'avais poursuivi ces traitements à domicile. Jamais dans ma vie je n'avais été hospitalisé pendant cette période de réjouissances. D'ailleurs, avant de souffrir de ce cancer, j'avais passé peu de temps dans les hôpitaux. Ce séjour m'a paru tellement long, comparativement aux autres traitements. Heureusement, trois amis ont compris mon désarroi et ont pris le temps de me rendre visite. Mais les minutes devenaient des heures. Souvent, je sentais une boule dans ma gorge.

Ce moment éprouvant comportait néanmoins une nouvelle positive : je recevais ce traitement parce que la chimiothérapie se déroulait bien et que l'oncologue ne voulait pas en interrompre le processus. Aussi bien l'accepter et, dans les circonstances, le transformer en un rendez-vous plus joyeux que triste. Après tout, en cette période de Noël, des membres du personnel médical de l'hôpital travaillaient en veillant à m'aider dans mon combat. Ils sont devenus des fantassins de mon armée.

Après les vœux échangés à Noël, je redoutais les frissons qui m'envahiraient quand les gens se souhaiteraient une bonne année 2014 et le traditionnel « paradis à la fin de vos jours ». Je tenais tant à ce que Céline soit la première à se précipiter dans mes bras pour ces vœux de bonne année ! Il n'y avait personne de plus important qu'elle après le traditionnel compte à rebours. Dans mon cas, ma place au paradis risque fort de m'attendre dans les prochains mois.

Ai-je vécu mon dernier Noël et mon dernier jour de l'An ? Si c'est le cas, j'aurai le temps de réserver de bonnes places pour des amis une fois dans l'au-delà.

En décembre, j'ai aussi fêté mon anniversaire. Rien de plus complexe à négocier, seul avec son ombre, que son anniversaire de naissance après le déclenchement de la maladie. Il est chimérique de ne pas s'alarmer à l'idée qu'il s'agisse du tout dernier, malgré les « hip ! hip ! hourra ! » de la famille et des amis. Dites-vous que d'autres y songeront au même moment que vous. Et le scénario se réécrira lors d'une journée significative dans la vie de l'être aimé.

Si la tristesse s'écoule à petites gouttes dans mon bol d'enthousiasme, pour ces raisons et bien d'autres, de petits bonheurs se dégustent à la cuillère, si on s'y attarde. Un jour à la fois, dois-je réitérer, tant dans le bonheur que dans le malheur.

Accepter ou s'adapter

Dans les moments les plus acerbes de la maladie, ce n'est pas la douleur de la chair qui m'accable, mais plutôt une blessure morale qui me gruge l'intérieur. Les médicaments, dont la morphine, me soulagent le corps, mais l'esprit requiert un remède plus puissant : la force de caractère.

Face au diagnostic du cancer, encore plus s'il n'existe pas de porte de sortie, il n'est pas rare d'entendre des spécialistes du monde médical, psychologique ou religieux, nous demander d'accepter cette terrible réalité, et la mort qui en résultera inévitablement. Déjà que je dois accepter la maladie et les changements drastiques qu'elle m'impose, je ne comprends pas pourquoi un spécialiste, ou même un ami bien intentionné, exige que je baisse la tête et que je mette ma vie en mode pause en attendant que la Grande Faucheuse découvre où je me cache sur la planète pour venir me chercher. Voilà pourquoi je préfère de beaucoup l'approche de ma psychologue, qui me propose de m'adapter à mon nouveau destin plutôt que de l'accepter. Je sais que je vais mourir du cancer du pancréas. Mais rien ne presse car, d'ici là, ma route sur terre continue. Suis-je un individu parmi tant d'autres qui rendra l'âme dans les délais prévus, ou l'une des exceptions qui confirment la règle de l'espoir d'une guérison ou d'une survie à plus long terme?

Je ne tiens pas à me lever tous les matins en comptant les jours qui restent à mon agenda. J'avoue cependant qu'il n'est pas toujours facile de garder une attitude positive malgré la mort qui rôde. Mais, plus j'afficherai une attitude négative, plus je risquerai de sombrer dans une dépression ou de patager dans mon malheur. À quoi dois-je m'accrocher pour poursuivre ma route? Où vais-je trouver des éléments pour me motiver? Je sais que je vais gâcher des journées à cause de pensées sombres ou d'éléments perturbateurs. L'anecdote sur la musique de Noël en est un exemple probant.

Pas besoin d'un gros bouleversement pour faire dérailler le train.

Par exemple, rester seul à la maison pendant que mes proches magasinent ou font une sortie en famille peut être difficile. Il n'y a parfois rien de pire que de me sentir abandonné ou à l'extérieur des plans de la journée, à moins qu'il soit clairement établi dans ma tête que je ne puisse y participer.

Une personne cancéreuse n'est pas inapte. Malheureusement, trop de gens la considèrent ainsi. Pourtant, je suis toujours en mesure d'effectuer des tâches habituelles à la maison et dans ma routine quotidienne. Si j'en suis incapable, je saurai trouver les mots pour le dire.

L'une des méthodes efficaces pour combattre la déprime consiste à me fier aux explications que les médecins me donnent sur mon bilan de santé. Ils ne jouent pas un jeu; ils me donnent l'heure juste. Quand un oncologue qualifie le progrès de mes traitements de «sensationnel», je ne dois pas douter de sa parole, même si rien ne m'empêche de vérifier le vocabulaire qu'il préfère utiliser et l'enthousiasme qu'il manifeste habituellement dans ses analyses. Quand on n'a plus de temps à perdre, ne vaut-il pas mieux se coller sur la vérité, comme deux amants dans l'adolescence qui éprouvent leurs premiers frissons dans la fusion des corps? Je ne dois pas rechercher la mauvaise nouvelle tous les jours. J'en encaisserai bien le choc, inévitablement. Il me faut apprendre à louvoyer entre le positif et le négatif, d'ici à l'heure de tombée de mon parcours.

Santé et finances

Depuis le début de ma maladie, les spécialistes m'interrogent sur ma capacité financière à gérer ce cancer, pendant mon absence du travail. Suis-je capable, avec mes réserves personnelles, de maintenir mon train de vie? Cette question figure inévitablement dans le questionnaire du personnel hospitalier.

Si, au départ, la question me semblait inappropriée, j'ai vite compris que la santé financière des patients joue un grand rôle dans le processus de guérison tant espéré ou dans leur combat pour ralentir la progression du cancer. Vivre avec des inquiétudes monétaires apporte un fardeau supplémentaire et fort encombrant pour plusieurs patients que j'ai croisés et qui se sont confiés à moi. L'argent est souvent une source de conflits dans un couple normal. Lorsqu'il devient un obstacle majeur dans un couple où la maladie sévit, le problème en est gravement amplifié.

Pour ma part, j'ai l'immense privilège de bénéficier d'une assurance collective au travail, qui me permet de toucher une partie de mon salaire et de payer les médicaments, le transport en ambulance, une chambre individuelle — une assurance qui, en somme, couvre toutes les dépenses engendrées par la maladie. J'ai rencontré des personnes qui puisent dans leurs réserves afin de lutter contre le cancer qui les accable. Voir ses ressources s'épuiser au fil des mois provoque un stress dont on se passerait volontiers en ces moments pénibles.

Un voisin dans ma chambre, en chimiothérapie, m'a raconté qu'il a dû vendre son automobile pour s'acquitter de ces dépenses imprévues : « À 57 ans, je me suis payé une auto de luxe dont je rêvais depuis des années. Je l'adorais. Un an plus tard, j'ai appris que je souffrais d'un cancer des poumons. J'avais des économies, mais cette voiture devenait tout de même un luxe dont je devais me priver. Je l'ai donc vendue, malheureusement, et je roule maintenant dans une bagnole usagée, encore moins luxueuse que celle que je possédais avant ma belle auto. »

Une dame de Charlevoix, qui transformait son ancien chalet en résidence principale, a dû interrompre les travaux de rénovation, de crainte de ne plus pouvoir subvenir à ses besoins médicaux. Cette veuve de 51 ans, qui souffre d'un virulent cancer du sein, a même dû retirer des sommes de son

REER pour s'assurer qu'elle ne manquerait pas d'argent plus tôt que prévu. Personne n'a besoin de vivre cette peur du lendemain, en plus de se battre contre le cancer.

Sans être totalement dépendant de l'argent, je reconnais son importance dans la vie. N'allez jamais me dire qu'il ne fait pas le bonheur. Il y contribue pour beaucoup. Personnellement, je ne me suis jamais privé, mais je savais dépenser à l'intérieur de mes limites, à quelques exceptions près. Je préparais bien mon avenir financier, car j'entrevoyais une retraite confortable et heureuse, où je pourrais continuer de jouir des plaisirs de la vie. Cela dit, le cancer n'a pas changé ma vision de la vie. Je me considère toujours comme un partisan de l'épicurisme, à la différence que, depuis le diagnostic, je sais que le moment est venu d'ouvrir le coffre-fort et de dépenser. La maladie ne m'a pas confronté à la réalité du rêve perdu, puisque j'ai réalisé à peu près tout ce que je voulais dans ma vie.

Une fois la mort annoncée, j'estime que si la personne condamnée se trouve dans une position financière avantageuse, il lui appartient d'en faire bénéficier ses proches de son vivant, afin de leur faire plaisir, et de se faire plaisir. Combien de fois avons-nous entendu la maxime selon laquelle «le coffre-fort ne suivra pas le corbillard»?

Sur le plan spirituel, je retiens ces paroles de saint François d'Assise : «Rappelez-vous que lorsque vous quittez cette terre, vous n'emportez rien de ce que vous avez reçu. Uniquement ce que vous avez donné.»

J'espère que je laisserai à mes proches le souvenir d'un être généreux.

CHAPITRE 4

Au cœur de ma vie

Je ne prévoyais pas souffrir du cancer dans ma vie. Je me proclamais invincible, intouchable. Non pas par arrogance, mais parce que le cancer n'affectait que peu de gens de mon entourage. Belle naïveté ! Allez donc savoir pourquoi.

J'imaginais ma mort lointaine, alors que je serais un octogénaire, sinon un nonagénaire, dans mon optimisme. Une mort tranquille dans une berceuse craquant à chaque élan, en bordure du majestueux fleuve Saint-Laurent qu'on appelle « la mer » dans Charlevoix. Peut-être parce que je rêvais depuis toujours d'acheter une maison de campagne dans la Petite Suisse du Québec. Je fermerais les yeux et ils resteraient fermés pour l'éternité.

Pour être honnête, je redoutais plutôt d'être foudroyé par un infarctus. Me faire abattre par un cœur défectueux, sans secours immédiats près de moi. Alors que je n'avais que 5 ans, ma mère Simone a été terrassée par un arrêt cardiaque. Une femme aimante, dans la jeune quarantaine, comblée d'avoir accouché à un âge tardif — chose encore plus exceptionnelle dans les années 1950 — de son fils unique. Malgré ma verdeur d'alors, je n'ai jamais oublié ce matin du 23 janvier 1957 où « elle s'est envolée pour rejoindre le Bon Dieu », me disait mon père, sans parvenir à me consoler.

L'agitation causée par les membres de la famille rapidement accourus à son chevet, à l'aurore, m'avait réveillé et durement confronté à cette cruelle réalité. Celle d'un gamin qui perd l'un de ses parents, alors que son petit cœur commence à peine à apprendre à aimer. Une lourde épreuve pour un petit bonhomme de 5 ans, sans frère ni sœur. La mort s'emparait de la personne la plus importante de ma vie, celle qui me cajolait, me caressait, se préoccupait de mes moindres désirs pendant les longues heures de travail de mon vaillant père au volant de son taxi. La mort l'avait fauchée au moment où elle commençait la vie dont elle rêvait depuis si longtemps avec l'homme doux et bon qu'elle avait épousé, après la période désolante de la Seconde Guerre mondiale. Son décès allait transformer radicalement la vie de mon père. Il n'a plus jamais éprouvé l'amour véritable, s'unissant plus tard à une autre femme dans le seul but de dénicher une seconde mère pour son fils.

Hélas, mon père a loupé la cible dans son empressement à me protéger. La marâtre n'a pas répondu à ses aspirations. Non pas par sa violence physique, mais par l'absence d'amour, assaisonnée d'une pincée de méchanceté envers cet enfant, méchanceté qu'elle manifesterait à la moindre occasion pendant le reste de son existence. En fait, Gaby considérait la présence d'un petit bonhomme dans la maison comme encombrante. Il faut dire qu'elle n'avait pas eu d'enfants lors de son premier mariage. À l'opposé, Simone ne vivait que pour son fils. Elle espérait qu'il deviendrait célèbre un jour. Elle l'imaginait politicien, comédien, chanteur, danseur, joueur du Canadien. Je ne sais si journaliste aurait comblé ses aspirations.

La seconde épouse de mon père a trouvé la solution pour protéger son intimité, au moins pendant la semaine: pendant la durée de mon cours secondaire, je suis devenu pensionnaire au collège Laval, à Saint-Vincent-de-Paul. Je m'y enfermais le dimanche soir pour en ressortir le vendredi après-midi. Si l'objectif de Gaby consistait à m'éloigner de la maison, elle m'a cependant rendu un fier service. J'ai adoré mes cinq années à cette institution, sous l'aile des dévoués frères maristes, où je me suis fait tout un cercle d'amis. Là-bas, un professeur de français, Georges Boyer, m'a sorti de ma coquille et a brisé ma timidité en m'initiant au théâtre, à la radio étudiante et au journal de l'école. Il m'a transmis son amour de la langue française et de l'écriture. Il m'a appris à chérir ce qui deviendrait ma profession pendant quarante ans. Je lui en ai toujours été reconnaissant, sans jamais le revoir. Le collège a perdu un enseignant hors pair le jour où il a troqué sa soutane pour des habits civils. Heureusement, « Georgie » est demeuré dans le monde de l'éducation.

Après mon passage à Laval, c'est au cégep Marie-Victorin, à Montréal-Nord, que j'ai poursuivi mes études, avant de rejoindre le marché du travail. Je prévoyais économiser pendant un an afin d'entreprendre un baccalauréat en sciences politiques, mais ma trajectoire s'est dessinée autrement. On n'étudiait pas le journalisme à l'université dans les années 1970.

Après un bref séjour dans une station de radio de Saint-Jérôme dans les Laurentides, Lise Blouin Dallosto m'a offert mon premier travail au *Courrier Laval*. Elle m'a confié la rédaction des pages des spectacles et j'étais aussi l'échotier de ce journal régional, publié alors trois fois par semaine. J'ai aussi eu le privilège de chaperonner les finalistes du concours Miss Laval 9, tâche que j'ai accomplie avec beaucoup de rigueur.

Par la suite, je suis entré dans les ligues majeures en décrochant un emploi de journaliste sportif au défunt quotidien

Montréal-Matin. Je prévoyais demander ma mutation à la section des arts dès la première occasion, ce qui ne s'est jamais produit. J'y ai rapidement mérité la confiance de Pierre Gobeil, un directeur des sports réputé. J'y suis resté pendant cinq ans, jusqu'à la fermeture du journal en décembre 1978.

Ensuite, j'ai goûté à l'autre côté de la médaille au sein d'un cabinet de relations publiques, le Groupe Houston. En quelques mois, j'ai appris beaucoup de choses sur les stratégies à établir pour vendre un événement ou un produit aux médias, toujours avec une touche d'élégance, à l'image de mon distingué patron Armand Torchia.

Mon embauche au *Journal de Québec* aura lieu quelques mois plus tard, en août 1979, à l'initiative de Claude Bédard, un monument du journalisme à Québec. Je lui en demeure encore reconnaissant aujourd'hui.

Je me réjouis d'avoir pu tracer ma route dans le journalisme, mon aspiration de jeunesse, depuis l'âge de 14 ans. Un peu contre le gré de mon père qui y voyait un boulot pour des individus en quête d'un vedettariat passager. Tout comme dans le célèbre monologue d'Yvon Deschamps, mon père favorisait plutôt la recherche d'un emploi stable dans une grosse entreprise comme Bell, Hydro-Québec, la fonction publique, ou même dans un magasin comme Dupuis Frères. Ironiquement, la personne responsable de l'embauche dans ce vaste commerce de Montréal avait rejeté mon CV, m'ayant jugé inapte à travailler avec le public. J'aimerais tant me souvenir de son nom…

J'ai donc eu la chance de passer quatre décennies à jongler avec les mots, plongé au cœur des grandes rencontres sportives, de la scène locale à la scène internationale, entouré par des confrères et des consœurs extraordinaires, à de très rares exceptions près. On croise des hurluberlus qui carburent à l'ego démesuré dans cette profession, mais ils se révèlent généralement plus rigolos que dérangeants, tellement ils sont imbus de leur personne. Le temps a déboulé si vite.

On m'a parfois suggéré de rédiger mes mémoires de journaliste. Je ne nourris pas cette prétention. Je laisse cette tâche aux collègues qui ont véritablement marqué l'histoire de la profession, ou à ceux qui s'attribuent cette importance.

Néanmoins, alors que le cancer me force à prendre le virage de la retraite plus rapidement que prévu, sans me priver totalement de mon association avec le *Journal de Québec*, je me suis mis à puiser au hasard, sans ordre de préférence ou chronologique, dans ma besace aux souvenirs de ce long périple professionnel.

J'ai entrepris ma carrière avec une machine à écrire portative, recourant à des moyens de transmission primitifs, mais qui m'impressionnaient, et je la termine avec des ordinateurs à la fine pointe d'une technologie sans cesse renouvelée. J'aurais débuté deux ou trois ans plus tôt et j'aurais transmis mes textes par télégraphe… Mes souvenirs de carrière prennent l'allure d'un véritable voyage dans le temps !

Je me souviens...

D'une entrevue avec un jeune joueur de tennis suédois venu disputer un tournoi en double à Montréal. Il parlait peu l'anglais et le mien ressemblait à celui, rudimentaire, d'un Québécois unilingue en vacances à Old Orchard. Cette recrue des courts affichait une plus grande timidité que la mienne.

Il répondait par des *yes* et des *no*, suait à grosses gouttes en espérant que son entraîneur le tirerait de ce pétrin. J'avais hâte d'en finir, moi aussi. Je me demandais ce que je réussirais à pondre avec cette entrevue. Internet n'existait pas pour ajouter de la chair autour de l'os. Des années plus tard, j'ai interviewé à nouveau ce Suédois. Plein d'assurance, il savait s'exprimer et dominait maintenant la planète tennis. Son nom ? Björn Borg !

Je me souviens...

D'une de mes très rares affectations dans l'univers du baseball majeur. J'appréciais ce sport à l'époque du parc Jarry, alors que j'étais étudiant, mais la petite balle n'a jamais interpellé le journaliste que je suis. Mon patron au *Montréal-Matin* m'avait demandé de faire une entrevue, devant noircir deux pages, avec Gary Carter, receveur vedette des Expos. Mon seul souhait était de rendre cette interview lisible. C'était sans compter sur l'apport de l'extraordinaire Gary Carter. J'ai eu l'humilité de lui avouer ma méconnaissance du baseball, et aussitôt nous nous sommes lancés dans une conversation des plus amicales. Cet athlète toujours souriant savait vendre son sport et s'intéressait vraiment à ses interlocuteurs. Ce fut un très bon papier et je lui en attribue encore tout le mérite.

L'été, je me sens coupable d'écrire si peu à propos des Capitales de Québec, une bonne organisation de baseball mineur, composée de joueurs et de dirigeants fort sympathiques.

Je me souviens...

De l'événement qui a toujours figuré au sommet de la liste de mes affectations préférées, même si, à 26 ans, je ne revendiquais que cinq ans de métier. Le 15 septembre 1978, Muhammad Ali obtenait sa revanche contre Leon Spinks au Superdome de La Nouvelle-Orléans. Mon patron avait pris tardivement la décision de m'y envoyer. L'hôtel Hilton n'acceptant plus les réservations, je me suis retrouvé dans un hôtel boutique au cœur du Vieux Carré (le vieux quartier français). Magique ! Mon balcon surplombait une rue où les groupes de jazz et autres musiciens se relayaient dès le matin. Une vie fort animée pendant presque vingt-quatre heures.

À vrai dire, j'aurais logé dans une boîte de carton juste pour rencontrer Ali. Je le considère toujours comme le plus grand boxeur de l'histoire. De plus, cet homme a exercé une influence sociale inégalée auprès des Afro-Américains. Ali était l'un des leurs, et non le symbole créé par une université ou un regroupement politique.

Le jour de mon arrivée en Louisiane, je me devais de réaliser une entrevue avec *The Greatest*. Je me suis présenté à son site d'entraînement une fois la séance terminée et les médias repartis. J'ai foncé vers l'icône. Ses gardes du corps m'ont intercepté. Ali, une serviette sur la tête, a regardé droit dans les yeux le blondinet à l'allure d'un gamin de 15 ans qui se tenait devant lui. Il m'a permis une question. J'avais la bouche sèche, mais j'ai réussi à la poser et ce verbomoteur m'a répondu pendant une quinzaine de minutes. J'ai risqué une seconde question du bout des lèvres et la machine à paroles a redémarré. À cette époque, je n'utilisais pas d'enregistreuse.

J'ai accompli un exploit en déchiffrant plus tard mon gribouillage de notes, un mélange d'anglais et de français, dans mon calepin.

Le soir du combat — Ali a battu Spinks et a regagné sa couronne mondiale des poids lourds de la WBA —, je me suis retrouvé baigné dans une ambiance hollywoodienne. Mes voisins au pied du ring étaient John Travolta, vedette montante du film *Grease*, Sylvester Stallone, deux ans après le premier *Rocky*, la chanteuse Cher, le comédien Jerry Lewis, et Lorne Greene, tête d'affiche de la série télévisée *Bonanza*.

Cette rencontre unique avec Ali, le seul athlète à qui j'ai quémandé un autographe, est d'autant plus mémorable qu'il a pris sa retraite un an plus tard, avant de revenir pour deux combats inutiles à son palmarès.

Je me souviens...

De mes seize saisons avec les Nordiques. J'éprouve une satisfaction bien légitime d'avoir accompagné cette organisation dans tout son cheminement. Elle devait se battre avec les moyens du bord contre la puissante machine du Canadien qui refusait de lui céder un pouce de terrain, tant dans les jeux de coulisses de la LNH que sur la patinoire. Les Nordiques redoublaient d'imagination pour survivre dans la ville que les Montréalais qualifiaient de « village », à l'autre bout de l'autoroute 20. J'aurais pu écrire un livre volumineux sur ces années-là.

Il n'y a rien de plus excitant que de suivre une équipe professionnelle, et le hockey est le *summum* au Canada.

Chaque journée est une aventure dont on ignore l'issue. J'ai joui de cet immense privilège à la belle époque où les athlètes se voulaient accessibles. Malheureusement, les Bleus n'ont jamais remporté la coupe Stanley, un exploit qu'ils auraient pu réaliser en 1986 et en 1993. Coup du hasard, ce furent les deux dernières conquêtes du Canadien. Le manque de maturité les a privés de ce championnat en 1993. Ils ont cru la victoire en poche, alors qu'ils menaient 2 à 0 en première ronde. Mais le gardien du Canadien, un certain Patrick Roy, les a ramenés à l'ordre grâce à son leadership dans le vestiaire du Tricolore et à sa performance sur la glace. Le Tricolore a gagné quatre matches d'affilée et a éliminé les Fleurdelisés ainsi qu'anéanti le moral des Québécois

En 1986, les Nordiques l'ont bêtement échappée. J'ose à peine imaginer la folie qui aurait balayé Québec! Le 29 mars 1986, ils ont remporté leur premier championnat de division, grâce à une victoire de 5 à 3 à Los Angeles. C'était l'euphorie dans l'entourage de l'équipe. Joueurs, journalistes et quelques invités ont festoyé dans un resto de Marina Del Rey après la rencontre. Ça sentait la coupe! Les amateurs devaient y rêver, car ils étaient 4000 à attendre les joueurs à l'aéroport lors du retour à Québec. C'est une sensation incroyable de se faufiler dans une telle foule, pour un journaliste qui reçoit autant de claques dans le dos que les athlètes.

La rivalité entre Québec et Montréal pourrait porter la date du 13 avril 1982 sur son baptistaire. Ce jour-là, les Fleurdelisés éliminent le Canadien en prolongation au Forum. Du coup, ils deviennent les ennemis jurés, et non plus les charmants voisins de la Vieille Capitale. Les journalistes de Québec avaient été priés d'apporter leurs valises au Forum car, dans l'éventualité d'une victoire, l'équipe s'envolait immédiatement pour Boston. Nos collègues de Montréal se bidonnaient, mais l'impossible s'est produit.

Couvrir les Nordiques m'a permis d'être le témoin de la glorieuse carrière de Peter Stastny. Quel joueur talentueux et quel homme exceptionnel ! Nous le surnommions parfois « le Jean Béliveau européen ». Il nous a procuré des émotions inoubliables. Il nous a aussi plongés dans une profonde tristesse lorsqu'il a rencontré la presse, dans sa chambre d'hôtel de Winnipeg, pour commenter son échange aux Devils du New Jersey, le 6 mars 1990. Une fois seul avec les cinq journalistes de Québec, il a éclaté en sanglots. Nous ne savions quoi dire, comment réagir, mais nous avons compris qu'au plus profond de lui-même il ne voulait pas quitter sa ville d'adoption.

Assister à l'éclosion de Joe Sakic fut également un plaisir. Il a rapidement pris sa place parmi les meilleurs joueurs de la LNH. Si l'équipe était restée à Québec, « Captain Joe » aurait été le plus grand joueur de la franchise. Mais cet honneur échoit à Peter.

Le métier de chroniqueur de hockey fut moins agréable pendant les cinq années de grande noirceur, dont la misérable saison de 31 points, en 1989-1990. Il n'y avait plus rien à écrire sur les déboires des Nordiques, la risée de la ligue. Une station de radio de Québec les avait même surnommés les Nordindes. Nous trouvions notre plaisir dans les voyages et la vie de groupe sur la route.

La saga d'Eric Lindros a terni encore plus la réputation de Québec et engendré une tension dans la presse. Le risque d'une déclaration-choc, ou d'une décision surprise des Bleus, dans le dossier de ce grand fendant, nous menaçait constamment.

Je souhaite maintenant que de jeunes collègues aient la chance de couvrir les Nordiques, seconde cuvée. C'est un travail exigeant, mais valorisant. Un journaliste qui a suivi une équipe de hockey de la LNH peut tout accomplir dans un journal. Chose certaine, il saura négocier avec la pression.

Mes villes préférées ? Los Angeles, New York, Boston, Chicago, Pittsburgh, Vancouver. Celles que je m'efforçais d'éviter ? Buffalo, Hartford, Washington (parce que nous résidions en banlieue, à Greenbelt, au milieu de nulle part), Edmonton, Uniondale (Islanders), East Rutherford (Devils). J'aurais aimé connaître Nashville, San Jose, Phoenix…

Je me souviens…

De cette randonnée en moto à Milwaukee lors du 100e anniversaire de la marque Harley-Davidson, en 2003. Parfois, dans ce métier, un cadeau nous tombe du ciel. Je faisais de la moto depuis cinq ans et je pilotais une Kawasaki. L'agence de relations publiques de Harley-Davidson m'a alors invité à me joindre au segment Halifax-Milwaukee qui passait par Québec. Plusieurs trajets en Amérique du Nord convergeaient vers le berceau de cette marque mythique. Je n'envisageais même pas que mon employeur embarquerait dans cette aventure, mais l'un des dirigeants de la rédaction, Donald Charrette, a trouvé l'idée excellente et m'a proposé d'y donner suite. J'escorterais le groupe pendant deux semaines et je raconterais chacune de mes journées dans une chronique. Un enfant, que je suis devenu ! Je tripais fort. Et, comme si ce n'était pas assez, le siège social de H.-D.

à Toronto m'a refilé un modèle Heritage Softail flambant neuf pour effectuer ce périple.

Tout au long de l'aventure, j'ai rencontré des gens de tout acabit, mais réunis par l'amour de la moto et de la marque. Harley-Davidson, c'est une famille internationale, un lien puissant chez ses adeptes, au point où certains motards en deviennent détestables par leur snobisme envers les autres marques. Plus nous approchions de notre destination, plus la ferveur augmentait. Les Américains nous saluaient par des signes de la main et des affiches qui portaient : WELCOME BACK HOME. Le jour de l'arrivée à Milwaukee, nous étions plus de 30 000 motocyclistes à foncer vers le point de rencontre. À une vingtaine de kilomètres de la ville, les automobilistes se rangeaient sur l'accotement et nous acclamaient. Les viaducs étaient noirs de monde. J'en ai encore la chair de poule. Chacune des soirées du centenaire, dans un quadrilatère du centre-ville, se transformait en une gigantesque fête, sans aucun désordre. C'était typique des partys Harley-Davidson…

Il n'y a eu qu'une ombre à ce tableau : les organisateurs ont choisi de faire appel à Elton John comme tête d'affiche. Les gens quittaient les lieux pendant le spectacle. On n'invite pas Elton John à un party H.-D. On pense aux Rolling Stones, à ZZ Top, à Bruce Springsteen, à Tina Turner — tous des noms qui alimentaient la rumeur. D'où cette affiche installée par un citoyen lors du départ : MERCI D'ÊTRE VENUS ET NOUS NOUS EXCUSONS POUR LE SHOW D'ELTON JOHN.

Si, dans l'au-delà, on peut revivre des moments de notre vie, je referai à coup sûr cette randonnée plusieurs fois.

Je me souviens...

De mon voyage à Bucarest, avec Lucian Bute, pour son premier combat professionnel chez lui, le 9 juillet 2011. À l'exception de Moscou, je n'avais jamais mis les pieds dans une ville de l'ancien régime communiste. La Roumanie réclamait son héros. D'une grande gentillesse, Bute m'a organisé une visite chez ses parents dans le village de Galati. Le photographe Stevens LeBlanc était aussi de l'aventure. Petite parenthèse sur notre voyage vers Galati : lors d'un arrêt dans un petit poste d'essence dans la campagne roumaine, le préposé écoutait à tue-tête un CD de Céline Dion. C'est ce qu'on appelle une vedette internationale...

En arrivant dans le village natal de Bute, j'ai eu l'impression de reculer dans le temps. Des rues secondaires étaient en terre et des résidants s'y déplaçaient encore à bord de vieilles charrettes de bois tirées par des chevaux, qui se faufilaient entre les rares autos. Le contraste était énorme avec la capitale du pays, Bucarest, une ville moderne et agréable.

Les parents de Lucian nous ont reçus chaleureusement, répondant aux questions que notre interprète traduisait. La maison familiale affichait plus de luxe et de confort que ses voisines, signe évident de la contribution financière du boxeur. Stevens et moi conservons un beau souvenir de cette rencontre avec des gens simples et attentionnés. Cette visite nous a aussi permis de visiter le modeste gymnase où tout a débuté pour celui qui serait champion du monde. Il a apprivoisé son sport avec des équipements désuets. Rien n'annonçait son cheminement triomphal. Quel parcours !

Je me souviens...

Du printemps 1976, quand le Canadien a aboli le règne de terreur des Flyers de Philadelphie, les *Broad Street Bullies*. Dans les années 1970, les chandails orangés de la ville de l'amour fraternel, une équipe rude et violente, intimidaient l'opposition. Un match au Spectrum incitait certains visiteurs à s'inventer une blessure pour échapper aux matamores Dave Schultz, Orest Kindrachuk, Don Saleski, Bob Kelly, Ed Van Impe. Jeune journaliste, j'étais emballé d'appuyer le chroniqueur de hockey du *Montréal-Matin* dans la couverture de la finale de la coupe Stanley. Quoique brutaux sur la patinoire, les Flyers collaboraient très courtoisement avec les médias. Et le Canadien s'en remettait à une formation très talentueuse.

Le monde du hockey espérait alors qu'une équipe renverserait ce club de fiers-à-bras qui inspirait trop d'organisations dans le hockey. Les Flyers avaient remporté la coupe en 1973-1974 et en 1974-1975. La violence qu'ils préconisaient reléguait au second plan des athlètes talentueux comme Bernard Parent, Bobby Clarke, Bill Barber, les frères Jim et Joe Watson, Reggie Leach, Rick MacLeish. Sans eux, Philadelphie n'aurait pas dominé la LNH pendant deux ans.

Pour couronner le tout, le Canadien, de l'entraîneur Scotty Bowman, a rayé de la carte les Flyers en quatre matchs consécutifs. Même l'interprétation du *God Bless America*, par la légendaire Kate Smith, n'avait pas créé la magie nécessaire à la victoire des *Broad Street Bullies*. Cela dit, il n'y avait, à cette époque, que Mme Smith, et l'orgue du Stadium de Chicago, pour transformer l'hymne national américain en un spectacle à m'arracher les larmes.

Après la victoire du Canadien, Serge Savard avait déclaré que le Tricolore venait de rendre un très grand service au hockey professionnel et à la LNH. Il espérait que la fin de la domination des Flyers inciterait les jeunes hockeyeurs à cesser d'imiter la bande du coach Fred Shero.

Je me souviens...

De la coupe Stanley remportée par l'Avalanche du Colorado au printemps 1996. Le triomphe d'une équipe a rarement soulevé tant de sentiments partagés chez moi. C'était à la fois triste et joyeux. La conquête survenait un an seulement après le déménagement des Nordiques à Denver, ce qui m'inspirait un profond sentiment d'injustice envers les fidèles fans de l'équipe. Par contre, je me réjouissais pour un groupe de joueurs que je connaissais bien, dont plusieurs jeunes que j'ai vus évoluer chez les Bleus (Adam Deadmarsh, Adam Foote, Peter Forsberg, Curtis Leschyshyn, Joe Sakic), sans oublier l'architecte qui a ajouté la touche finale à ce championnat, Pierre Lacroix, et le gardien Patrick Roy.

En cette première saison de l'Avalanche, j'ai épié l'équipe d'un fil à l'autre dans les séries. En saison régulière, j'ai assisté à plusieurs parties locales et à quelques-unes à l'étranger. Je me sentais chez moi à Denver, une ville que j'affectionne, et je m'y débrouillais aussi bien qu'à Québec et à Montréal. La dernière partie a été remportée en début de nuit, lorsque le défenseur Uwe Krupp a marqué en prolongation l'unique but du match contre le gardien John Vanbiesbrouck des Panthers de la Floride. Dans la journée, j'avais pris le temps de suggérer à Krupp et à d'autres anciens des Fleurdelisés de remercier les partisans de Québec, si jamais l'Avalanche remportait le Saint Graal. Krupp fut le seul à y penser devant les caméras de la télé. Je conserve une photo souvenir croquée dans le vestiaire, où je prends la pose avec Krupp, Roy, Mike Keane et René Corbet autour du célèbre trophée.

Je me souviens...

De Rendez-Vous 1987, qui bouleversait la routine de la Ligue nationale à l'occasion de son ennuyante partie des étoiles. À cette occasion, Me Marcel Aubut brûlait d'organiser une confrontation internationale dans la capitale. Il a réussi sa mission sur toute la ligne, en exigeant du personnel administratif des Nordiques une implication totale. Elle s'est effectuée au détriment du rendement de l'équipe sur la patinoire.

Avant que R-V 87 ne vienne emballer la population, je me suis rendu en Russie, en compagnie de trois collègues du *Journal de Québec*, Jean-Claude Tremblay, Jean-Claude Angers et André Monast, pour rédiger une série de reportages publiés dans sept cahiers spéciaux, au retour. C'était au début de la Perestroïka qui annonçait de grands changements politiques, sociaux et économiques ainsi que l'éclatement du régime communiste. J'y ai vécu des expériences uniques, que peu de personnes pourront inscrire dans leur CV. C'est fabuleux de se retrouver sur la scène du quartier général du chœur de l'Armée rouge, alors que celui-ci, dans la salle, nous offre un pot-pourri des chansons qu'il interpréta à Québec. Puis, un scénario semblable avec deux danseurs vedettes du Ballet, à quelques jours de la fermeture du théâtre du Bolchoï de Moscou pour des rénovations majeures.

Parmi les personnes qui effectuaient ce voyage en notre compagnie, figuraient l'auteur et compositeur David Foster et sa compagne Linda Thompson, la dernière conjointe connue d'Elvis Presley et l'ex-épouse du médaillé d'or au décathlon des Jeux olympiques de Montréal, Bruce Jenner. Foster a apporté sa contribution à la carrière de Céline Dion à plusieurs reprises.

Me Aubut a réuni dans la capitale, outre les meilleurs joueurs de l'URSS et du Canada, des artistes et des personnalités du Canada, de l'URSS et des États-Unis. Une fête gigantesque, organisée avec un budget de 9 millions de dollars. Lors du 25e anniversaire de Rendez-Vous 87, dans un élan d'enthousiasme typique, Me Aubut a déclaré : « Nous avons été un catalyseur pour rapprocher les États-Unis et la Russie. Ça allait bien au-delà du sport. Cette grande rencontre fraternelle a favorisé la paix dans le monde. »

L'ami Marcel attend toujours son prix Nobel de la paix.

Je me souviens...

Du combat entre Sugar Ray Leonard et Roberto Duran, en 1980, au Stade olympique de Montréal. La couverture de ce championnat mondial, réclamé par des millions d'amateurs, ne figurait pas parmi mes tâches journalistiques, mais j'y ai été relié grâce à mes contacts. Jean-D. Legault, du comité organisateur, m'a demandé d'assurer les relations de presse de Leonard, un athlète sympathique, mais protégé par une garde rapprochée imperméable et peu amicale. Cette mission fut très excitante. Je dirigeais les conférences de presse après les entraînements et j'accompagnais le boxeur dans les studios de télévision et de radio. On m'avait aussi demandé de trouver une pièce musicale pour accompagner Duran pendant sa marche vers le ring, en riposte à la chanson mielleuse de Leonard. J'avais déniché sur un 33 tours un solo de batterie dont j'ai oublié le titre. Répété en boucle, il produisait de cinq à six minutes de musique endiablée et rythmée. Duran l'a apprécié au point d'y recourir avant d'autres combats.

Ce gala, qui est passé à l'histoire de la boxe au Canada, a été terni par le décès du boxeur Cleveland Denny, après son combat contre Gaétan Hart.

Je me souviens...

De mon premier match de hockey à Kalamazoo dans la Ligue internationale. Cette petite ville industrielle du Michigan ne se compare nullement aux grandes métropoles du hockey, mais elle constitue le symbole parfait de la ville de hockey mineur. Tant de blagues ont été faites sur Kalamazoo. Elvis Presley, qui n'est pas décédé, vivrait à Kalamazoo. Il semble qu'on joue au hockey dans cette municipalité depuis des siècles en rêvant à la LNH. Voir Kalamazoo et mourir...

Pas de regrets

Au fil de mes quarante ans de journalisme, il m'a été donné d'assurer la couverture des Jeux olympiques de Montréal en 1976, de Salt Lake City en 2002, d'Athènes en 2004, de Turin en 2006. Aurais-je aimé me rendre régulièrement à cet événement international, le *summum* dans le sport? Non! La somme de travail s'avère astronomique et l'on perd énormément de temps avec la sécurité et les transports. Et le contact avec les athlètes exige de multiples entourloupettes. C'est que toutes les entrevues se tiennent dans une zone mixte ne pouvant contenir qu'une cinquantaine de journalistes, mais on s'y retrouve parfois plus de cent. Et il y a des dizaines de zones de ce genre, que la presse surnomme les «enclos». L'originalité des textes et la primeur n'existent pas aux Jeux olympiques. En fait, je n'ai apprécié que les Jeux de Montréal, où le contact humain existait. Le contrôle des médias ne se comparait pas aux mesures prises de nos jours pour contrer les actions terroristes. Je ne m'imagine pas sauter sur le terrain et festoyer avec les athlètes, comme nous l'avons fait à Montréal. Je serais fusillé sur-le-champ.

J'ai retiré une grande satisfaction de chacune des finales de la coupe Stanley que j'ai suivies pour le *Montréal-Matin* et le *Journal de Québec*. Le hockey demeure un sport où les relations avec les joueurs sont courtoises, même si elles se sont détériorées quelque peu ces dernières années, avec la présence d'une flopée de relationnistes qui ne possèdent pas toujours la compétence pour gérer ce dossier, surtout dans des marchés où le hockey occupe un créneau secondaire.

En ce qui concerne la qualité d'une organisation, il est presque impossible de surpasser, ni même d'égaler le Super Bowl, comme j'ai pu le constater en 2001, lors du match de championnat entre les Ravens de Baltimore et les Giants de New York à Tampa Bay.

Parmi les événements que j'aurais aimé couvrir, le Derby du Kentucky et le Grand Prix de Monaco (une course de chevaux de la Triple Couronne et une course de F1) seraient en tête de liste. Ces deux compétitions figurent parmi les plus prestigieuses et légendaires du monde du sport. De plus, j'adore les organisations charismatiques qui regroupent le gratin de leur univers respectif.

Finalement, à mon tableau de chasse, j'aurais voulu inscrire la Série du Siècle de 1972, mais ma carrière a débuté en 1973. Je n'étais donc qu'un spectateur passionné, un étudiant, et je me souviens parfaitement de l'endroit où j'étais et de ce que je faisais quand Paul Henderson a marqué le but gagnant.

Ces fameuses dates qu'on n'oublie pas… Cela me ramène tout à coup au 12 août 2013, qui a marqué la fin de cette longue et riche carrière et le début d'un autre combat. Cette fois-là, et pour la première fois de ma vie, c'est moi qui suis monté sur le ring. Et je dois y remonter tous les jours.

CHAPITRE 5

La promesse à Peter Stastny

Lorsqu'on exerce une profession publique depuis quatre décennies, l'annonce d'une maladie incurable nous porte à réfléchir sur le comportement à adopter. Il en va autrement pour un travailleur du domaine privé. Subitement, le journaliste sportif que je suis, qui rédige quatre chroniques pleine page par semaine, qui commente l'actualité à la télévision et à la radio, qui participe à la couverture d'événements, s'évapore dans la nature. Puis-je m'éclipser ainsi, sans donner la moindre explication aux lecteurs et aux auditeurs ? Un choix s'impose entre afficher la plus totale discrétion ou dévoiler les motifs de mon absence pour une période indéterminée. Pour ma part, je préférais divulguer la raison de mon absence. Une question de respect envers les lecteurs du *Journal de Québec* qui m'ont permis d'exercer ma profession. En agissant ainsi, j'écartais les nombreuses rumeurs et les spéculations. Les choses seraient claires.

Je ne regrette pas ma décision. Quelque part, je ressentais probablement le besoin de confier mes états d'âme sur ce cancer du pancréas, plutôt que de me replier sur moi-même. J'obtenais malgré moi la possibilité d'en expliquer les effets dévastateurs. Cela dit, j'ai d'abord refusé d'accorder des entrevues à des collègues en quête d'un sujet d'actualité (je les comprenais, toutefois), car j'avais besoin de temps pour apprivoiser un tant soit peu cette terrible maladie.

Après quelques mois, j'ai constaté que je pouvais apporter du réconfort à d'autres malades en adoptant une attitude positive dans ma guerre contre la maladie et la poursuite de ma route, celle empruntée par mon destin depuis août 2013. Je me sentais maintenant très à l'aise d'en discuter ouvertement.

La décision de m'ouvrir publiquement sur ma maladie m'a permis de recevoir des milliers de messages d'encouragement grâce aux moyens de communication conventionnels et par tous les réseaux sociaux. J'ai rapidement cessé de les compter. Chacun me fournissait une formidable dose d'énergie pour monter au front et affronter le monstre à l'intérieur de mon corps. Tous les jours, mon armée de supporteurs augmentait, que je connaisse personnellement ou non ces soldats qui s'y joignaient. Des témoignages, j'en ai reçu sans cesse, dont certains m'ont surpris. Je vous en dévoile quelques-uns, mais sans oublier de nombreux autres que je garde dans mon cœur.

Le premier match des Bleus

«Bonjour, Alberte! Sais-tu à qui tu parles?», me lance mon interlocuteur au bout du fil. Il ne s'agit pas d'une question quiz très compliquée. Un seul ancien joueur des Nordiques a toujours prononcé mon prénom au féminin, avec son accent slave tranchant. Ça ne pouvait être que Peter Stastny, celui que plusieurs considèrent à juste titre comme le plus grand joueur de l'histoire des Fleurdelisés!

Je consulte ma montre. D'où donc ce diable d'homme peut-il m'appeler, lui qui partage son temps entre Bratislava de sa Slovaquie natale, Saint-Louis, lieu de résidence de sa famille en Amérique, et Strasbourg, en France ? Depuis 2004, il siège au Parlement européen, il est l'un des quatorze représentants de la Slovaquie.

« Je suis à Strasbourg, où nous venons de terminer notre session. Je me devais d'appeler mon ami Alberte, car j'ai appris une mauvaise nouvelle concernant ta santé. Je suis bien installé dans mon bureau. J'ai beaucoup de temps pour jaser. Qu'est-ce qui ne va pas ? » Sans probablement y penser, l'ex-capitaine des Bleus m'offre ce qu'il y a de plus précieux à cette étape de ma vie : du temps. Et nous engageons la conversation. Peter s'informe de ma santé, de mes traitements. Il s'avoue sincèrement désolé. Inévitablement, la discussion bifurque vers le hockey et l'Avalanche qui se tape un début de saison canon sous la direction de l'entraîneur Patrick Roy et du vice-président exécutif des opérations hockey, Joe Sakic. Peter se réjouit des succès de l'équipe de son fils Paul. Il ne s'est jamais retenu dans le passé pour critiquer les décisions « farfelues et irréfléchies », dénoncera-t-il, de ceux qui ont précédé ce duo. Il les accuse d'avoir gâché trois ou quatre ans de la carrière de jeunes joueurs talentueux à cause de mauvaises transactions et de la nomination d'un entraîneur incompétent, Joe Sacco.

Impossible de converser avec Peter Stastny sans aborder la résurrection des Nordiques. « Je suis persuadé que la Ligue nationale renaîtra à Québec, affirme-t-il. Elle ne peut ignorer encore longtemps cette ville merveilleuse qu'elle a désertée pour de mauvaises raisons. Les amateurs le méritent tellement. » Après quoi, Peter me dit : « Alberte, je veux que tu me promettes d'assister au premier match en ma compagnie. » Ouais… J'ai répondu : « Je ne sais si je serai encore parmi vous,

Peter. Je peux le promettre, mais, chose certaine, je resterai introuvable si je ne tiens pas parole. » Il éclate de rire. « Je sais que tu vas te battre, gagner des mois, et que tu assisteras au retour de notre équipe. Tu as toujours été un gagnant et tu deviendras le témoin de ce grand événement. »

La conversation a duré une bonne vingtaine de minutes. L'attitude enjouée et chaleureuse du grand numéro 26 ne me surprend guère. Il a acquis de la maturité depuis son arrivée en Amérique. Issu du régime communiste, très méfiant devant les inconnus et les médias quand il est descendu d'avion à l'aéroport de Montréal, il ne dégageait nullement cette bonhomie à l'été 1980.

Deux jours plus tôt, je prenais connaissance d'un message sur mon cellulaire. « Albert, c'est Ti-Toine. J'ai appris que tu es très malade et ça me fait beaucoup de peine. Voici mon numéro, j'attends ton appel. » C'était Anton, le cadet des Stastny, qui m'appelait de Lausanne, en Suisse, où il dirige une entreprise florissante de fabrication et d'exportation de meubles. Il démontre également beaucoup de compassion. Il s'informe de ma santé dans une conversation amicale où nous passons du coq à l'âne.

Si Peter et Anton ont pris soin de me contacter, je le dois à Marian, l'aîné de la famille qu'on néglige trop souvent dans ce trio. Des trois frères, Marian n'a jamais quitté la région de Québec, où il est devenu un citoyen à part entière. Il s'est lancé en affaires et il représente dignement les anciens Nordiques quand on le lui demande. Les fans de l'équipe adorent revoir les ex-joueurs, et les Stastny occuperont toujours une place privilégiée dans leurs souvenirs et leur attachement à l'équipe. Ces hommes ont marqué au fer rouge l'histoire de l'organisation.

À l'époque, les Stastny ont payé cher, surtout Marian, leur fuite de Tchécoslovaquie et le fait de se joindre aux Fleurdelisés. Les autorités, là-bas, avaient même dépouillé Marian de son statut d'avocat. Il était constamment harcelé par les agents du gouvernement et devait presque toujours se déplacer sous surveillance. Et le père Stastny a perdu son emploi. Alors que ses frères étaient parvenus à s'enfuir et atteignaient la gloire dans la Ligue nationale, Marian continuait de vivre à Bratislava une existence devenue insupportable. Il parviendrait finalement à les rejoindre un an plus tard, en quittant son pays dans la clandestinité.

Le jour où chacun des frangins a quitté la capitale a constitué un moment de deuil. Dans le contexte du hockey des années 2000, les Nordiques n'auraient probablement jamais abandonné Marian sur le marché des joueurs autonomes. Peter, lui, a été échangé. Plusieurs soutiennent que l'entraîneur Michel Bergeron n'a pas su composer avec le talent et le style magique des trois frères, à l'exception de Peter, un membre du Temple de la renommée du hockey, que le Tigre ne pouvait manipuler à sa guise.

Je m'estime privilégié de bénéficier des encouragements des trois frères. Ils ont mené des batailles inspirantes dans leur carrière. Ils ont écrit l'histoire des Nordiques et du circuit Bettman par leur personnalité et l'impact qu'ils ont exercé sur cette franchise. Ils n'ont pas oublié Québec et la capitale se rappellera éternellement des numéros 18, 20 et 26.

L'infatigable Me Aubut

Excité comme un chien de berger protégeant un troupeau de moutons des prédateurs, constamment en déplacement sur la planète pour ses multiples fonctions, Me Marcel Aubut n'a pas tardé à se manifester. Il est l'un des premiers à m'avoir contacté après la divulgation du diagnostic. Combattant dans l'âme, un gagnant dans presque tous les dossiers qu'il a pilotés, le « Kid de la Grande Allée » ne pouvait adopter une attitude contradictoire. Je devais garder la tête haute et utiliser toutes les ressources pour retarder au maximum la progression de ce cancer du pancréas. Pas question non plus pour l'homme de loi que je parte pour un autre monde avant le retour des Nordiques. Depuis son premier coup de fil, Me Aubut prend soin de se tenir au courant de ma santé et de mes états d'âme.

Marcel Aubut est de ces hommes influents de la société qui jonglent avec deux personnalités. Il existe une différence notable entre le char d'assaut en affaires, qu'il restera toujours, et l'homme attentionné qu'on découvre dans la vie privée. Il porte beaucoup d'attention aux gens qu'il aime. Il prend soin d'eux et sait se montrer généreux de cœur et d'esprit. Ce n'est pas uniquement à cause des liens du sang que ses trois filles l'adorent. Francine, sa conjointe, l'a toujours épaulé dans ses nombreuses entreprises. Sans une femme compréhensive, autonome et dynamique, un personnage de la stature de Me Aubut ne récolterait pas tant de succès.

Je conserverai jusqu'à la fin d'excellents souvenirs des cinq randonnées de moto, une passion commune, que nous avons effectuées notamment en compagnie du journaliste Réjean Tremblay et de Raynald Brière, une sommité dans l'univers de la radio et de la télévision, l'actuel président et chef de la direction de RNC Media. Si le retour sur terre s'avérait possible pour ces trois compagnons d'aventure, je les inviterais à m'accompagner sur nos Harley-Davidson jusqu'aux portes du paradis, le jour de mon grand départ. Sauf que Marcel prendrait assurément le temps de négocier les conditions de sa future admission avant de revenir conclure sa vie sur terre. Saint Pierre ne gagnerait pas sur tous les points et ses cheveux blanchiraient encore. De quoi lâcher un coup de fil à Satan...

Une pluie d'encouragements

Dans la liste de mes sympathisants, je ne pouvais demeurer insensible aux propos de Jean Martineau, vice-président aux communications et affaires administratives de l'Avalanche. L'annonce de mon cancer a ébranlé cet homme avec qui j'entretiens depuis longtemps une excellente relation professionnelle. Il venait à peine d'accompagner son frère Guy, trésorier à la Ville de Québec pendant vingt-neuf ans, dans sa route vers la mort, un tracé également dessiné par le cancer du pancréas. Guy Martineau a rendu les armes en juillet 2013. De plus, la dynamique conjointe de Jean, Brigitte, a livré une dure bataille contre un cancer du sein. «Je me demande bien quand toutes ces mauvaises nouvelles cesseront», dit-il, l'air dépité, la voix secouée par des trémolos. Comme quoi le cancer ne gruge pas que l'âme des malades.

À la tête du club de Visby Roma sur l'île de Gotland, dans la première division du hockey professionnel suédois, Richard Martel, l'entraîneur qui a remporté le plus de matchs dans la LHJMQ, s'est également manifesté à quelques reprises pour m'appuyer. Je ne saurais passer sous silence non plus les encouragements des boxeurs Lucian Bute, Jean Pascal et Adonis Stevenson, qui m'ont procuré de beaux moments lors de leurs combats et conquêtes de titres mondiaux au cours des dernières années. Je pourrais dresser la liste de tous les anciens hockeyeurs et dirigeants des Nordiques qui sont intervenus. L'un des premiers, l'ex-entraîneur Jacques Demers, s'est révélé toujours aussi positif et enthousiaste. Le sénateur Demers ne voit plus la vie du même œil, lui non plus, depuis qu'il a été victime, en 2010, d'un empoisonnement après une opération routinière pour une hernie voisine du nombril.

Puis, à la période des fêtes 2013, une agréable surprise m'est parvenue : une carte de Noël personnalisée de la première ministre Pauline Marois, dans laquelle elle me souhaite bon courage dans mon combat contre le cancer.

Parmi toutes ces marques d'encouragement et d'amitié qui ont grandement contribué à me remonter le moral et à m'aider à entreprendre mon premier cycle de chimiothérapie, j'ai particulièrement été surpris et touché par des dizaines de messages de jeunes journalistes qui me rappelaient un moment dans leur jeune carrière où je leur avais donné un coup de main. Je ne m'en souvenais pas ; eux, oui. Ils m'ont raconté de belles histoires qui m'ont ému.

L'un d'eux, fils d'un militaire, m'a relaté qu'à l'âge de 15 ans, nouvellement arrivé dans l'Ouest canadien et ne parlant presque pas l'anglais, il avait pu assister à l'entraînement des Nordiques qui visitaient l'équipe locale. Nous avions discuté du métier de journaliste pendant que les Bleus suaient à grosses gouttes sur la glace. «Ce jour-là, j'ai décidé d'embrasser votre carrière et je suis à l'emploi d'une station de télé depuis une dizaine d'années», m'a-t-il dit. Tant mieux, si mes propos ont pu convaincre un adolescent de choisir cette profession qui fera toujours de la place aux plus déterminés et affamés.

D'autres se rappelaient comment je les avais aidés, alors qu'ils ne savaient comment se comporter dans une situation bien précise. Ou mes encouragements alors que, timides et nerveux, ils devaient mener une entrevue avec une personnalité sportive. Sans même le savoir, j'avais eu une influence positive dans la vie de tous ces gens, et je récolte aujourd'hui un immense cadeau à travers ces témoignages de gratitude.

Des ondes de courage en direct du Colorado

Quelques semaines après le diagnostic, j'ai reçu ce coup de fil: «Salut, Albert, c'est Pat. Je ne sais quoi dire et si je le savais, je ne saurais comment l'exprimer. On peut parler de hockey.» Ça tombe bien. Il s'agit de Patrick Roy. En ce début de saison, l'Avalanche qu'il dirige — son premier job d'entraîneur dans la LNH — épate la galerie en collectionnant les victoires. Nous parlons donc de ce sport que nous affectionnons, avant d'aborder la maladie.

Toujours un plaisir de discuter hockey avec l'ex-athlète qui se montre captivant dans ses analyses et ses confidences, lorsqu'il accorde sa confiance à son interlocuteur. Sa

personnalité entière, ses opinions bien senties et son tempé-
rament explosif lui ont attiré des critiques virulentes, mais
qui ne lui ont pas toujours valu tant d'agressivité de la part
de ses dénigreurs. La partisanerie aveugle d'une catégorie
d'amateurs de hockey et de journalistes à la recherche de
controverses à tout prix fausse terriblement la perception
qu'ils ont d'un des grands gardiens de l'histoire. Si je devais
me choisir un général parmi mes supporteurs, pour inspirer
et conduire mon armée, je me tournerais indéniablement vers
le copropriétaire des Remparts. Roy se trouverait un bon offi-
cier en Joe Sakic, totalement son opposé, mais d'une efficacité redoutable dans les dossiers que ses employeurs lui
confient. Homme de peu de mots, Joe, le vice-président exécutif des opérations hockey à Denver, est resté fidèle à sa
réputation lorsqu'il m'a contacté. « Sache, Albert, que Debbie
[sa conjointe] et moi prierons pour toi tous les jours. Bon
courage, mon ami. J'espère de tout cœur te revoir à Montréal,
en mars, lorsque nous affronterons le Canadien. » L'Avalanche
a bien fait les choses en m'invitant, en compagnie de mon
épouse et de deux collègues du *Journal de Québec*, à assister à
ce match à Montréal.

De l'équipe du Colorado, j'ai également été réconforté par
son ex-président devenu conseiller, Pierre Lacroix, que je
connais depuis les années 1970, alors qu'il gagnait sa vie
comme vendeur dans une boutique de sports à Laval. Quelle
carrière foudroyante pour Gros Pierre ! Cet ex-défenseur mar-
ginal est devenu un agent respecté et redouté, avant de faire le
saut chez les dirigeants d'une équipe de hockey, où ses respon-
sabilités de directeur général et président lui ont valu le titre
d'architecte de deux conquêtes de la coupe Stanley. Pierre ne
veut pas que je baisse les bras. Il me recommande de croire en

mes capacités, de me battre et de ne pas lâcher. Il a accompli de belles choses dans sa vie en fonçant tête première. Il a eu des problèmes avec ses genoux, qui lui ont grandement compliqué l'existence. Mais il a aussi surmonté ces obstacles.

À court de mots

Lors de son passage au tournoi international de hockey pee wee de Québec, Pat Brisson, l'un des agents les plus puissants du hockey, celui de Sidney Crosby, a été prévenu de ma maladie et il a pris soin de m'envoyer un courriel, car je me trouvais à l'extérieur de Québec. Pat est l'un des plus beaux modèles de réussite dans le monde des affaires.

Prendre le temps de contacter quelqu'un qui souffre d'une maladie dévastatrice est une tâche très émotive pour plusieurs d'entre nous. Il faut le comprendre et ne pas s'en offusquer. Beaucoup jonglent avec les mots, cherchent une façon d'entamer la conversation. Certains m'ont avoué qu'ils ont composé mon numéro de téléphone plusieurs fois, mais ont raccroché avant que la sonnerie se déclenche.

Doit-on noter les noms des personnes qui prennent le temps de nous contacter et de celles qui ne le font pas ? Non, absolument pas ! C'est un jugement gratuit et souvent injuste qu'on porterait envers les gens qui nous ignorent. Ils ont sans doute une raison d'agir ainsi, ou ils se sentent tout simplement incapables de le faire. Et puis, rien ne les y oblige. Mais, l'être humain étant ce qu'il est, on peut être néanmoins attristé par l'attitude d'un proche qui ne peut avouer sa peine et apporter son réconfort à la personne malade.

Pour ma part, j'ai été déçu d'être longtemps ignoré par un collègue que j'estime beaucoup et avec lequel je travaillais depuis des années. Je ne l'ai pas jugé, toutefois. Sage décision, car j'ai appris qu'il encaissait très mal le choc de la nouvelle de mon cancer. Quand il m'a finalement croisé pour la première fois, quatre mois plus tard, ce fut très émotif. S'il y a une chose toutefois dont je suis convaincu, c'est que j'apprécie de la même façon et au même diapason émotif tous les appuis que je reçois, peu importe la forme qu'ils prennent. Je n'ai pas rédigé ce chapitre pour me vanter et lancer des noms prestigieux. Loin de moi cette intention. J'ai été particulièrement touché par un employé de l'entreprise Qualinet qui, me voyant marcher sur le trottoir, a ralenti, reculé son véhicule pour me lancer des mots d'encouragement. Tout comme ce chauffeur d'autobus qui a pris le temps, à un feu rouge, d'ouvrir sa porte pour me souhaiter bon courage en incitant ainsi les passagers à me saluer d'un geste de la main.

Je considère plutôt comme une bénédiction le fait de pouvoir jouir de tout cet amour, dont celui de ma famille immédiate. Tous ne reçoivent pas tant de marques d'affection. Bref, même si on peut se sentir maladroit ou embarrassé au moment de manifester sa sympathie, cette maladresse est vite éclipsée par toute la chaleur qu'y puisera la personne malade. Il n'y a pas de faux pas possible lorsque la compassion est sincère.

L'abandon

Trop de malades se sentent abandonnés une fois que la médecine leur a appris qu'ils souffrent d'un cancer et qu'ils entreprennent leur combat. Au cours de ma chimiothérapie, ces interminables séances de cinq heures dans une chambre d'hôpital sous transfusion, j'ai écouté plusieurs confidences de mes voisins et voisines. Nombreux sont ceux qui mènent un combat solitaire, sans bénéficier de l'appui moral ou de la présence des gens qu'ils ont côtoyés au cours de leur vie. Au début, ça se déroule bien, racontent-ils. Les messages affluent. Tout le monde connaît l'histoire d'un malade qui s'en est bien sorti. Remplis de bonne volonté, les proches et amis ne tiennent toutefois pas toujours compte de la nature du cancer, ou ils ne possèdent pas les bonnes informations. Pas un malade ne réagit de la même façon à cette violente médication qu'est la chimiothérapie. De plus, il y a des grades dans la maladie. Les médecins l'abordent selon leur expertise et n'exécutent pas nécessairement un plan de combat identique pour chaque personne. Dans mon cas, des inconnus comme des proches s'efforçaient de me rassurer, sans rien savoir du diagnostic et du pronostic. Ils confondaient le cancer du pancréas avec celui de la rate, de la vésicule biliaire, de la prostate, et même... du sein.

Pires sont ceux qui s'improvisent oncologues, parce qu'ils ont recueilli des informations sur Internet qu'ils jugent pertinentes, allant de la potion magique aux explications nébuleuses sur les origines de tel cancer, en passant par des pays lointains qu'ils vous proposent de visiter, où des gourous vous ensorcellent et expulsent Belzébuth de votre corps. Quel piège à éviter que le Web ! La première personne qui doit se tenir très loin de la consultation par ordinateur est la victime du cancer elle-même. À moins de jeter un bref coup d'œil sur des sites officiels, comme celui de la Société canadienne du cancer, ou sur ceux de diverses fondations notoirement reconnues. Mais sachons qu'Internet ne nous apprendra rien qui nous permettrait de guérir le cancer. Cela dit, peut-on reprocher à ces bons Samaritains leur volonté de vouloir nous encourager ? Non, absolument pas, d'autant que, pour beaucoup de cancéreux, ils resteront de rares alliés tout au long de la maladie. Une fois le choc de la nouvelle encaissé et digéré, l'intérêt diminue et la compassion s'effrite. Les gens passent à autre chose, parce que la vie continue pour ces personnes qui n'accompagneront pas le malade au jour le jour.

Lors d'une entrevue accordée à Josey Arsenault du 93,3 (une station de radio de Québec), une intervenante victime d'un cancer colorectal a éclaté en larmes. Elle se sentait terriblement seule dans son long et dur combat qui exigeait chimiothérapie et radiothérapie. Elle a dit : «Je me demande parfois si je suis contagieuse. Au début, on m'embrassait, me faisait des câlins, m'apportait de la tendresse. Puis, on a commencé à s'éloigner, à ne plus me toucher. Je m'approchais de ces personnes et elles reculaient. Ça fait mal. Puis, lorsque quatre ou cinq proches ont commencé à m'ignorer et que je me suis retrouvée de plus en plus seule, je me suis mise à redouter le jour où tout le monde m'abandonnerait. Ce jour est finalement venu. Je ne compte plus que sur deux amies qui viennent me voir quand leurs obligations familiales ne les retiennent pas à la maison. J'ai dû me tourner vers des groupes d'entraide. Une chance qu'ils existent ! J'y puise du réconfort, même si j'ai toujours l'impression de rejoindre des inconnus qui éprouvent le même sentiment d'abandon que moi. Je suis néanmoins très reconnaissante envers ces personnes aimantes.»

Malheureusement, cette dame ne constitue pas une exception. Si les bénévoles n'existaient pas, elle souffrirait davantage de sa solitude dans la maladie. N'hésitez jamais à réconforter une personne malade, à moins que celle-ci ne s'isole complètement du monde extérieur, de son propre chef. Ce qui est le cas de plusieurs malades qui éprouvent de la honte face au cancer. Comme s'ils étaient responsables de leur situation. Pourtant, alors que les traitements médicaux constituent l'arme par excellence pour combattre la maladie, c'est l'amour, le soutien et la présence des proches qui motivent le malade et lui insufflent l'envie de se battre et la détermination pour se lever chaque matin, dans l'espoir de vivre un autre jour.

CHAPITRE 6

Valser entre deux pôles

Le 29 septembre 2013, au lendemain du combat d'Adonis Stevenson contre Tavoris Cloud, un infarctus m'a frappé de plein fouet, alors que je sortais de la baignoire, à la maison. Le cauchemar que je redoutais depuis toujours devenait une réalité. Heureusement, mon ami et père spirituel, le prêtre Jean Lafrance, présent à mon domicile ce jour-là, m'a immédiatement emmené à l'hôpital.

Pendant qu'il filait vers les urgences, brûlant quelques feux rouges tout en affichant une prudence de mise, ma conjointe prévenait l'Hôtel-Dieu de mon arrivée. Le trajet s'est bien déroulé malgré la panique et la douleur qui me sciait la poitrine. Vivement les premiers soins pour m'apaiser et calmer la douleur !

Cet infarctus, ai-je appris plus tard, n'avait aucun lien avec le cancer du pancréas. Juste un clin d'œil ironique de ma destinée pour me rappeler ma fragilité soudaine. Je n'étais donc pas un surhomme. Juste un humain comme les autres qui devrait se battre sur deux fronts. D'une certaine façon, j'ai même été chanceux, car ce problème cardiaque était latent. J'aurais pu subir cet infarctus lors de mon voyage à Sotchi, un an avant les Jeux olympiques. Il aurait pu être catastrophique que le cœur me joue ce vilain tour sur le vol entre Moscou et Montréal, à des milliers de kilomètres des côtes, au milieu de l'océan. Puis, il y avait eu ces autres voyages à Las Vegas et à West Palm Beach. Je me serais tout de même senti en sécurité chez nos voisins du Sud, d'autant plus que je ne voyage jamais sans une bonne assurance.

Après quatre jours à l'unité coronarienne du CHU, l'infarctus a cependant vite été relégué au second plan. Je m'en suis vite rétabli car, de l'avis du cardiologue, il n'était pas très sévère. Je me préoccupais davantage des traitements que je subirais pour combattre mon cancer. Si la radiothérapie a été écartée dès le début — elle n'est pas courante pour traiter le cancer du pancréas — la chimiothérapie serait sans doute indiquée. L'oncologue réfléchirait à ce traitement, après avoir consulté mes dossiers et mes radiographies. Je me suis surpris à désirer la chimio au plus profond de mon être. Je ne pouvais croire que la médecine m'abandonnerait à mon sort, sans une arme de pointe pour combattre ce foutu cancer. Dans les jours d'attente de sa décision, je rêvais à une conclusion favorable. Quelques semaines plus tôt, avant le diagnostic, la possibilité de recevoir de la chimio aurait relevé du cauchemar, mais, lorsqu'on m'a appris qu'elle s'appliquait dans mon cas, j'ai ressenti une joie malsaine. La réponse finale m'appartenait toutefois. Sans chimio, le médecin calculait ma vie en peu de mois. Je ne pouvais la refuser sans me résigner à mourir rapidement, selon les prévisions. Mais pas question de me transformer en une autre statistique de la science. À mes yeux, jeter l'éponge si rapidement aurait équivalu à un suicide planifié. Attendre béatement la mort allait à l'encontre de mes convictions spirituelles. Cela dit, je ne percevais pas chez moi la moindre dose de courage en acceptant ce traitement agressif et la douleur qui pourrait en découler. Par contre, le refuser aurait constitué un geste de lâcheté. J'ai simplement accepté de me battre en empruntant le chemin que la médecine me frayait.

Des conditions différentes

Après ma réponse positive, mon entourage et des gens que je ne connaissais pas n'ont pas tardé à souligner ma bravoure. Ce que je renie sincèrement. Je profite de conditions favorables pour me soumettre à une chimio qualifiée d'agressive ou de performante, sans perspective de survie à l'appui. Ma confiance en la médecine m'a tout simplement encouragé à me lancer dans le vide.

Mon contexte diffère beaucoup de celui d'autres malades, comme j'ai pu le constater pendant mes traitements. Je suis bien entouré par ma conjointe et ses quatre enfants, par des amis, des collègues et un gros bassin de lecteurs et d'auditeurs. Je suis protégé au travail par une assurance collective, y compris une assurance salaire. Je mise aussi sur de bons contacts dans le milieu hospitalier. Je détiens tous les atouts pour me faciliter l'existence dans ma bataille.

Le courage, je l'observe chez d'autres malades. Pour certaines victimes, le cancer et les traitements sabotent l'existence par leurs dommages collatéraux. Prenons Manon, ma toute première compagne de chimio. C'est comme si la vie l'avait mise sur ma route dès mon premier traitement pour me réconforter. La brave dame combat un cancer généralisé. Mère monoparentale d'une adolescente, serveuse dans un restaurant, elle engloutit graduellement ses ressources financières dans son combat. Elle n'a aucune assurance collective et les médicaments lui coûtent une petite fortune. Elle risque de manquer de fonds, mais elle se bat avec acharnement, parce qu'elle veut vivre et voir grandir sa fille. Voilà un véritable modèle de courage.

Un autre cas m'a fait prendre conscience de ma chance dans mon malheur. Gérald, un cultivateur de 56 ans, possède un cheptel de 200 bêtes, et il les aime comme nous, les citadins, aimons nos chiens et chats. Toutes les deux semaines, il quitte sa région rurale pour venir suivre ses traitements à Québec. Il a embauché de la main-d'œuvre qui, espère-t-il, saura accomplir le train-train quotidien sur sa ferme. À son retour, il risque de devoir réparer les erreurs causées par l'inexpérience de ces hommes.

Je pense également à une dame de 72 ans qui a accepté un traitement expérimental. Elle pourrait éviter ces souffrances, mais elle souhaite aider la science à progresser et à améliorer sa qualité de vie.

Les effets secondaires du traitement

Apprendre qu'on souffre du cancer laisse présager des traitements de chimiothérapie et de radiothérapie que tous redoutent. Ces mots nous effraient. Aucun ne souhaite sacrifier son corps et son esprit à cette violente médication, un cocktail explosif de produits chimiques. Combien de fois ai-je entendu des proches jurer que jamais ils n'accepteraient de subir la chimio ou la radio si un cancer les frappait? Ma première épouse militait parmi ces opposants. Pourtant, lorsqu'elle a été confrontée à cette réalité implacable, elle a accepté sans la moindre hésitation les consignes du médecin. Tout ça dans l'espoir de prolonger sa vie de six à huit mois. L'instinct de survie, l'espoir d'un miracle, mais aussi le déni de la sévérité de son cancer, l'ont poussée vers cette solution.

Malgré l'acceptation, il découle un stress énorme des conséquences à venir de la chimiothérapie et de la tournure qu'elle prendra. Personne n'y réagit de la même façon. Les oncologues nous mettent en garde contre une myriade d'effets secondaires qui s'apparentent à une liste d'épicerie pour une famille de douze. A-t-on vraiment besoin de nous soumettre cette énumération interminable de douleurs et de malaises qui n'en finissent plus ? Ça nous glace jusqu'à la moelle. Mais, oui, c'est nécessaire, affirment les oncologues, qui tiennent à bien informer leurs patients de toutes les possibilités. Ils préfèrent en mettre trop que pas assez.

Les spécialistes évoquent des problèmes intestinaux, des saignements, des ulcères dans la bouche, de fortes nausées, des engourdissements ou des picotements aux pieds et aux mains, des maux de tête, la perte des cheveux, des vomissements, des difficultés d'élocution, à avaler, à respirer, une diminution des plaquettes et des globules blancs, des crampes, de la fatigue extrême ou une faiblesse généralisée, même l'incapacité à supporter le traitement, etc. De quoi effaroucher le plus brave des patients. L'inconnu nous terrifie toujours en médecine. Mais, tant et aussi longtemps qu'on n'a pas amorcé le processus, impossible de découvrir les réactions de notre corps. L'âge, la forme physique, la résistance du malade influenceront son application. Pour ma part, la surprise fut, oserais-je dire, agréable. Je ne sais si je constitue un cas rare, mais les séances de chimiothérapie des premier et deuxième cycles m'ont causé très peu d'effets désagréables. Rien pour m'inciter à abandonner. Le pire reste le temps que je devais y consacrer, à raison de trois jours d'affilée aux deux semaines. Ça ne me laisse pas beaucoup de temps pour me relever entre deux transfusions. La première journée me cloue cinq heures durant dans un lit d'hôpital, où je parviens à égrainer le temps en consultant mon ordinateur et en besognant à divers projets. Je remplis le vide de l'esprit afin de bloquer l'accès à des inquiétudes qui voudraient l'envahir les jours suivants.

J'ai croisé des compagnons de chambre pour qui la chimio en exigeait davantage. Il faut dire que nous n'attaquions pas le même type de cancer et que nous n'étions pas dans la même condition physique. Par exemple, l'âge du malade est un facteur primordial. Je me souviens d'un partenaire de traitement qui soignait deux types de cancer, requérant chacun une médication différente, et dont les effets secondaires étaient nombreux. La chimio constituait donc un immense fardeau pour cet homme taillé dans le roc. Quand il s'est informé des conséquences de la mienne, j'ai été incapable de lui répondre que je m'estimais privilégié. Je me suis donc inventé des effets secondaires inexistants afin de rassurer ce gentilhomme. En ira-t-il toujours ainsi dans mon cas ? Je n'ose me bercer d'illusions, puisque les données risquent d'évoluer dans la mauvaise direction au fil des semaines. Même si je le souhaite ardemment et que je prie, je ne vois pas pourquoi les effets secondaires m'épargneraient. Et, quand ils m'affaibliront, il me faudra affronter une nouvelle réalité. Vais-je me présenter sur la ligne de feu la tête haute, combatif, ou avec le désespoir dans l'âme et l'envie d'abdiquer ?

Affronter ses peurs

La souffrance rebute les êtres humains, surtout si elle ne débouche pas sur une rémission. Mais je gagne du temps. Cela dit, l'abandon et le désespoir peuvent aspirer le patient vers la dépression. Au-delà de cet état d'esprit, la réaction extrême de vouloir mettre fin à ses jours existe. De l'avis des psychologues, la solution ultime ne recrute pas cependant sa plus grosse clientèle chez les cancéreux.

Lucie Casault, psychologue à l'Hôtel-Dieu, explique : « Des idées noires passagères sont fréquentes. Mais je dirais par expérience que les malades nourrissent peu d'idées suicidaires, avec le réel désir ou le risque de passer à l'acte. Je travaille en oncologie depuis 1998 et au CHU depuis 2008, mais je n'ai connu qu'une patiente qui a réellement tenté de mettre fin à ses jours. »

Des études établissent que le facteur de risque de suicide augmente chez les malades de 60 à 70 ans. Les hommes l'envisageront davantage que les femmes. Mme Casault affirme que les patients se placent rapidement en mode survie, un instinct très fort chez l'humain, lorsqu'ils apprennent que le cancer les attaque.

« Ils accepteront généralement presque tout ce qu'on leur proposera, explique-t-elle. Le refus fait surface une fois tous les traitements terminés, le cas échéant. La qualité de vie du malade influe beaucoup sur ses décisions (amour de la famille, projets, santé financière, mobilité, etc.). Sur cinq patients qui refuseront de poursuivre la chimio, un ou deux ne changeront pas d'idée. Ils se demandent si la vie vaut encore la peine d'être vécue, et, si oui, à quel prix. Ils ne veulent pas devenir un fardeau pour leur entourage. D'où l'importance d'établir des objectifs de vie dans la maladie. Les gens qui n'ont pas de buts en viennent à se décourager et ne trouvent plus de raisons valables pour rester vivants. Lorsqu'il y a récidive du cancer après une rémission, il peut être plus ardu de convaincre le patient de reprendre le processus. »

L'abandon devant la maladie et la dépression menacent les cancéreux pour diverses raisons. En outre, selon des psychiatres et psychologues américains, les individus qui éprouvent le besoin de contrôler tous les aspects de leur vie sont plus vulnérables. Ils tardent à lâcher prise. Si le malade redoute de devenir un boulet pour ses proches, il importe que ces derniers lui fassent comprendre qu'ils l'aideront dans son combat et qu'ils ne le laisseront jamais tomber.

« Je remarque que la souffrance, particulièrement la douleur, effraie les gens beaucoup plus que la mort, poursuit la psychologue. Je ne croise pas beaucoup de patients qui craignent réellement de mourir. Les malades appréhendent la souffrance dans l'agonie et celle imposée aux gens qu'ils abandonnent derrière eux. »

En tant que psychologue, Mme Casault estime que son rôle n'est pas de convaincre les malades d'accepter aveuglément les traitements, mais plutôt de le faire s'ils y croient vraiment. « Ça me désole parfois de voir des patients qui refusent de s'investir, alors qu'ils pourraient améliorer leur condition et prolonger leur existence. Toutefois, je respecte leur choix. La décision doit être en accord avec leurs valeurs et elle doit avoir un sens pour eux. »

Au jour le jour

Les études les plus pointues sur le comportement des personnes cancéreuses et les statistiques colligées depuis des décennies sur le nombre de dépressions ou d'abandons dans le combat ne cernent toutefois pas les réactions au quotidien des malades. J'en suis malheureusement une victime, et mon humeur dépend d'une multitude de petits facteurs. Si un appareil pouvait mesurer mon niveau d'acceptation et mon désir de combattre d'heure en heure, on observerait de grandes fluctuations, de quoi faire démissionner le plus brillant et entêté des psychologues. Il n'est pas rare de passer du noir au blanc dans la même journée. Parfois, je me vois vivre avec la *bébitte* en moi pendant quelques années et devenir un modèle pour tous. Oui, je suis la preuve vivante que le cancer du pancréas peut être contrôlé par des traitements appropriés et un caractère bien trempé. Mais il y a aussi des moments où je crains que ma vie ne soit plus qu'une question de semaines et que je sois un malade parmi tant d'autres, qui mourra rapidement. Pourquoi serais-je une exception, alors que des personnalités comme Steve Jobs, Patrick Swayze et Claude Béchard ont été vaincus?

Je comprends également que la perte partielle de mon autonomie, l'obligation de vivre au jour le jour en évitant de regarder l'horizon de mon avenir, mon incapacité à bâtir des projets même à moyen terme (d'autant que j'ai eu une vie très active et bien remplie), la difficulté de redéfinir mes objectifs et mes buts pour le temps qu'on m'alloue, tout ça mine mon moral les journées où ça ne tourne pas rond. Le cancer m'oblige alors à ralentir la cadence et à me repositionner selon mon état de santé morale et physique. Il suffit que mes jambes soient faibles un jour où le temps se prête magnifiquement au ski, et je me mets à broyer du noir.

Cependant, je ne suis pas sans savoir que ces changements majeurs font partie de la reconnaissance du cancer qui m'anéantira. L'attitude de la personne qui partage notre vie peut aussi nous projeter vers le fond ou nous tirer au sommet. Une mauvaise interprétation de ses paroles, d'un geste, et le moral s'effrite. Mais il ne faut jamais oublier que les «aimants naturels» (une image délicieuse de l'artiste Gregory Charles pour désigner les aidants naturels) vivent également des périodes de désespoir.

Ironiquement, il y a aussi du bon dans ma situation. La maladie nous rapproche des bons zigues que l'on n'appréciait pas toujours à leur juste valeur. On les aimait, mais pas suffisamment. Ils le méritent. J'ai découvert des êtres d'une grande bonté dans mon cercle. Je me réjouis de ne pas avoir assez de mes dix doigts pour les compter. J'espère qu'ils se reconnaissent sans que je les nomme.

Le changement péremptoire de mon rythme de vie me pousse aussi à mettre en œuvre des projets nouveaux, dont la rédaction de ce livre. J'envisageais d'écrire, mais je ne trouvais pas l'inspiration, et la confiance de le réussir ne pesait pas lourd dans la balance. Ce bouquin n'est pas encore publié que je mijote déjà le plan d'un roman.

Les jours où la maladie semble avoir déclaré forfait, ma tête bouillonne de positivisme et d'énergie. Je rebâtirais Rome avec un simple marteau. J'en oublie la chimio, les petites douleurs qui s'y rattachent, la noirceur du lendemain. Je me persuade qu'il y a moyen de survivre à ce cancer le plus longtemps possible. Mais les trois journées suivant celles du traitement restent pénibles à vivre, tant pour mon entourage que pour moi. Je dois pourtant rester d'un optimisme réaliste. Même quand la santé me semble satisfaisante, que les bonnes nouvelles se multiplient, je garde en tête que ce cancer remportera sûrement la bataille. Prétendre le contraire équivaudrait à replonger dans le déni de la maladie. Il n'y a pas vraiment de petites et de grandes victoires. Chaque pas de plus dans la bonne direction constitue un gain en soi, que je savoure au même titre qu'une journée agréable.

Mon statut public à Québec et les entrevues que j'accorde sur le cancer du pancréas me procurent de petits plaisirs dans mes relations humaines. Je souris quand des gens me disent que mon attitude et mes propos sur la maladie les réconfortent. J'aime prendre le temps de discuter avec ceux qui m'abordent car, souvent, ils souffrent du cancer ou sont en rémission. D'autres tiennent le rôle d'aidants naturels. Ces échanges m'enrichissent et je veux qu'il en soit de même pour eux.

Naturellement, ces gens ne voient jamais mon côté sombre. La déprime et le découragement restent mon volet privé, et il n'est généralement partagé que par ma conjointe et une garde très rapprochée. Très peu de personnes ont accès à ma vulnérabilité : je la réserve à ces proches que j'estime assez réceptifs pour m'écouter. Et cette écoute est primordiale pour évacuer les tensions et les inquiétudes qui m'assaillent. Parfois, pour l'aidant naturel, il suffit de quelques minutes de son temps pour m'aider à chasser ma tristesse. Il n'a pas nécessairement besoin d'engager la conversation. Écouter soigne parfois davantage l'âme que parler.

J'espère que le partage entre le positivisme et le négativisme rétrécira à l'avantage du premier. Il m'éloignera de l'abandon et du désespoir, jusqu'au jour où la porte de ma vie se refermera.

CHAPITRE 7

Un baril de poudre
pour un couple

Après l'adultère, une maladie grave qui afflige un des conjoints cache peut-être le plus grand risque pour la survie d'un couple, même s'il a traversé les années et surmonté mille embûches. Il manipule un baril de poudre.

Le cancer renvoie catégoriquement chacun des conjoints dans ses retranchements, sans possibilité d'alterner les rôles. La victime, d'un côté du lit, les yeux fixés au plafond ; de l'autre, la personne qui est devenue l'aidant naturel principal, repliée sur elle-même, avec sur ses épaules une tâche qu'elle ne se sent peut-être pas en mesure d'assumer et que le destin lui impose sans requérir son avis.

Généralement, les conjoints apprennent simultanément la mauvaise nouvelle. Qu'on se souvienne de la publicité-choc à la télévision, alors qu'une famille est mise au courant que le cancer frappe l'un de ses membres. Un souffle puissant projette tout le monde à la renverse dans le cabinet du médecin. Le cancer se paie un coup double, avec des conséquences différentes, mais tout aussi désastreuses pour les deux partenaires. Leur vie bascule. La victime, dans un cas grave, se mettra à redouter la souffrance, la mort. Elle se verra comme un boulet au pied de son partenaire de vie. Parfois, la crainte de l'abandon des proches l'effraiera. L'aidant, quant à lui, se demande comment il survivra à cette épreuve sans y laisser sa peau et son identité. Il ne l'avouera pas, mais cette perspective le hantera, l'être humain se préoccupant de sa propre survie avant celle de l'autre, si fort puisse-t-il l'aimer. C'est l'instinct primaire.

Je compare les effets de l'annonce d'un cancer à une roche qu'on lance dans l'eau. Tant et aussi longtemps que la dernière vaguelette produite par l'éclaboussure n'atteint pas le rivage, aucun membre du couple ne ressentira le calme en surface pour se repositionner à l'intérieur du couple. En l'espace de quelques minutes éternelles chez le médecin, tout change, qu'on le veuille ou non. Les conjoints perdent une immense partie du contrôle de leur existence.

Si le patient doit se préparer à livrer mentalement et physiquement le plus gros combat de sa vie, l'aidant réfléchira à tous les sacrifices que la maladie lui imposera et à ceux qu'il consentira dans son accompagnement. Il fera des choix. Tous les aidants ne s'abandonnent pas corps et âme, sans nuance, motivés et alimentés par l'énergie de l'amour. Ne vous illusionnez pas. Pour certains aidants, la maladie équivaut à l'enfer. Ce n'est pas un hasard si plusieurs sombrent dans une dépression profonde après le décès de la personne aimée. Ils sont touchés cruellement sur le plan psychologique, parce qu'ils pleurent la perte de l'être cher, mais également l'anéantissement de leur vie, de leurs projets, de leurs rêves pour les années à venir.

Le choc s'avère brutal au sein des couples âgés qui ne bénéficient pas, du moins dans l'espérance, d'une banque de temps suffisante pour reconstruire une partie de leur univers. Le décès de l'amour de leur vie risque de les pousser vers la solitude et l'isolement.

Le jeune couple touché par le cancer, un drame de plus en plus fréquent à notre époque, verra son premier scénario de vie à deux consumé par la maladie. Il l'empêchera parfois de bâtir la famille à laquelle il aspirait, parce que la mort précoce d'un des parents laisserait brutalement le survivant avec des enfants en bas âge.

Même s'il ne s'en rend pas compte dans la tourmente, le partenaire survivant poursuivra sa route et retrouvera au fil des années la force nécessaire pour se reconstruire.

Je loge à une tout autre enseigne avec Céline, à l'adresse d'un couple qui s'est formé à la période de la vie qu'on dit entre chien et loup. Elle a divorcé après des années tumultueuses d'un mariage qui a laissé des cicatrices profondes; pour ma part, je me voyais offrir la chance unique de me joindre à une famille qui m'a accueilli les bras ouverts. Elle m'acceptait comme le nouvel amour dans la vie de Céline. Le cancer a détruit nos projets de vie à deux.

Céline et moi n'y gagnons rien au change. Il faut nous ajuster et porter dorénavant attention à tous les petits bonheurs que nous trouverons sur le parcours de notre relation. Tout ne baignera pas dans l'huile tous les jours. Il y aura des moments où nous regretterons sincèrement de ne pouvoir réaliser des projets auxquels nous tenions et sur lesquels notre couple a pris forme.

La maladie constitue un énorme défi dans un couple. Souvent, le cancer déséquilibre la vie. Cela exige de très gros efforts de réadaptation et des rajustements majeurs. Dans une union sabotée par le cancer, le metteur en scène — qu'on l'appelle destin, Dieu ou hasard — n'attribue pas de premier et de second rôles, pas plus qu'il ne désigne le bon et le méchant. Il confie aux deux comédiens la tâche de jouer les personnages à leur façon. Cela peut mener à une confrontation perpétuelle autant qu'à une alliance de tous les instants contre la maladie. Ironique à affirmer, mais la maladie ne décidera pas de la santé du couple. Elle ne deviendra pas le ciment réparateur quand des fissures lézardent le mur d'un amour chancelant.

« Un couple qui ne fonctionnait pas du tout avant l'annonce du cancer ne se mettra pas à bien aller du jour au lendemain, affirme la psychologue Lucie Casault. Par ailleurs, le cancer ne fera pas en sorte que ça n'aille plus dans une union qui éprouvait des problèmes ; il risque fort toutefois de devenir l'élément déclencheur d'une implosion. »

À l'opposé, la psychologue se souvient d'une patiente qui se préparait à quitter son mari avant que le cancer l'emporte dans un tourbillon. « La maladie les a fusionnés, comme cette femme n'en avait jamais rêvé. Elle ne reconnaissait plus son conjoint. Il était devenu très gentil et attentionné. » L'amour, malmené, mais toujours existant, a possiblement empêché la destruction de ce couple. C'est la façon idyllique d'analyser ce sauvetage dans la maladie.

L'homme étant ce qu'il est, il est permis de croire aussi que monsieur a pu devenir très cartésien et évaluer la situation sous un autre angle. Madame ne vivrait que quelques mois et l'héritage lui permettrait de poursuivre une belle vie après la mort de celle-ci. L'attachement aux biens matériels l'emporte parfois sur la conscience, la sincérité… et sur l'amour. Analyse impitoyable, direz-vous, mais plus rien ne me surprend dans ce monde. Si la santé financière du couple, particulièrement du patient, s'avère une composante importante dans la bataille contre le cancer, de l'avis des spécialistes, il ne faut absolument pas négliger son impact dans le futur du conjoint survivant.

Trouver sa place

J'ai peint un tableau plutôt sombre avec ce dernier exemple de relation entre conjoint et malade. Cela dit, nombre de couples vivent ce drame dans l'entraide mutuelle. Je les considère comme majoritaires. Lors des séances de chimio, la plupart des patients sont accompagnés de leur partenaire. Les deux assistent également aux rencontres avec les oncologues et les spécialistes des soins palliatifs. Il ne s'agit toutefois pas d'une règle incontournable dans le « guide du bon aidant naturel ». Mais le fait de ne jamais s'y présenter avec son conjoint malade, ne serait-ce que quelques heures, peut facilement déboucher sur un conflit, car le patient y verra un rejet ou un manque d'intérêt.

Il importe que chaque membre du couple prenne sa place dans un juste partage lorsque la maladie s'infiltre dans la chaumière. Ce ne sont pas toutes les personnes qui se consacrent entièrement à l'autre, sans compromis, sans questionnement. La relation se fragilisera si l'un des deux tire trop la couverture de son côté. Il faut que l'aidant comprenne l'état d'esprit fragile et changeant du malade ; et ce dernier doit accepter que l'aidant ne troquera pas son identité contre celle d'un serviteur dévoué et prêt à se plier à tous ses caprices.

L'égocentrisme de l'un ou de l'autre s'inscrit comme un défaut explosif qui peut rendre la vie du couple infernale, alors qu'elle devrait se terminer dans le calme, l'harmonie et l'amour — et, pourquoi pas, dans le bonheur, malgré la tension et la tristesse.

Une personne aidante requérant de l'attention risque de se sentir délaissée. Car tout est centré sur le malade, surtout dans les premiers mois suivant le diagnostic. Le médecin, le travailleur social, le psychologue, le personnel infirmier, les prestataires de services — tout gravite autour du malade, et l'aidant naturel s'estime parfois mis de côté dans ce tourbillon. S'il a pris sa place, fixé ses limites, il protégera son territoire et sa santé mentale et s'investira raisonnablement dans l'aide qu'il apportera.

Le malade, pour sa part, doit comprendre que l'univers ne tourne pas uniquement autour de sa personne. Le cancer ne lui donne pas tous les droits et privilèges. «Je suis malade, il faut me comprendre», une déclaration facile à lancer pour forcer le conjoint à se plier à tous ses désirs. Parfois, cette attitude se compare à une forme de chantage. Mais il ne faut pas non plus que l'aidant prétende qu'il s'agit de manipulation de la part du malade. La réalité restera immuablement celle de la mort annoncée pour celui-ci.

«Le partenaire ne doit pas acquiescer à toutes les demandes parce que la maladie a terrassé l'être aimé, dit Lucie Casault. Si celui-ci nourrit trop d'attentes, il risque de vivre de profondes déceptions. Quelque part, le couple doit s'adapter à cette nouvelle réalité. La recherche de l'équilibre demeure un objectif.»

Comme dans un couple en bonne santé, le dialogue occupe une place prépondérante. Et davantage, même, car le temps ne se prête plus aux cachotteries et encore moins aux mensonges. Il importe toutefois que l'aidant écoute attentivement le malade, en particulier quand celui-ci exprime sa tristesse ou ses inquiétudes. L'altruisme s'impose comme une qualité à acquérir par le partenaire. Il doit donc travailler sur lui-même et développer de nouvelles compétences. Il n'aura pas toujours le cœur à tendre l'oreille et à montrer de la compassion, mais il n'existe pas un pire moment pour ignorer le malade qu'il accompagne. Le rejeter par son comportement ne ferait qu'aggraver la douleur et le désespoir de l'autre. Cela fait partie des sacrifices demandés à l'aidant, que j'évoquais plus haut.

Un livre ouvert

Je ne suis pas un cas facile pour celle qui marche à mes côtés, n'ayant pas opté pour la plus totale discrétion. Loin de là. J'ai choisi de m'ouvrir et de ne pas cacher mon état de santé à mes proches et à tous ceux qui me suivent sur les réseaux sociaux tels que Facebook et Twitter. Je réponds à mes courriels, même s'ils deviennent répétitifs. Je peux reprendre la même explication des dizaines de fois sans me sentir importuné. J'utilise rarement la méthode du copier/coller. Je mène une carrière publique depuis quarante ans et je ne vais pas ramer contre ma personnalité et me fermer comme une huître parce que je suis gravement malade. Au moment que j'ai jugé opportun, après l'annonce de mon cancer, j'ai accepté d'accorder des entrevues à la télévision et à la radio. Je n'éprouve pas de problème à parler de moi, à répondre aux questions. Je réfléchis souvent à voix haute sur mes états d'âme et mes inquiétudes. Presque toujours présente, Céline les entend à répétition, comme elle devient le témoin d'excès d'impatience et de colère. Ça peut devenir épuisant, je le confesse. Elle pourrait entretenir la fausse impression que je préfère vivre ces moments avec des inconnus, dans bien des cas, plutôt qu'avec la famille immédiate. Tellement une fausse perception ! Ma mort bousculera sa vie. Quand je l'évoque à Pierre, Jean et Jacques, et qu'elle m'entend, je peux lui causer de la douleur. À titre de partenaire de vie, elle baigne constamment dans cette ambiance. Je dois comprendre qu'elle cherche son air, vaque à ses propres occupations pour ne pas étouffer et plonger notre vie conjugale dans le misérabilisme. Une brève discussion en apparence banale peut vite se transformer en une altercation qui peut laisser des séquelles. La simple idée d'aller voir un film au cinéma, l'après-midi, peut faire monter le ton. La sortie ne l'intéresse pas, car elle voudrait profiter de ce temps libre pour faire des courses qu'elle remet toujours à plus tard. J'interprète cela comme un refus de m'accompagner. Je ne veux pas me retrouver seul. Pourtant, pourquoi ne profiterions-nous pas tout simplement de cet après-midi libre pour faire chacun des choses de son côté, pour ensuite nous retrouver au souper ? Dans un contexte normal, c'est ainsi que j'aurais relativisé les choses, mais le cancer vient parfois brouiller les cartes…

Dans le rôle de l'aidant

Je me suis trouvé dans la position de l'aidant naturel lorsque ma première épouse a été foudroyée par un cancer. Entre l'annonce du diagnostic, le 28 janvier, et son décès le 1er avril, il ne s'est écoulé que trop peu de temps pour faire éclater des conflits entre nous. Bref, ils furent inexistants. Je m'occupais d'elle à temps plein, allant même jusqu'à rédiger mes chroniques pour le journal à la cafétéria de l'hôpital, pendant qu'elle subissait sa chimiothérapie ou sa radiothérapie. Je rassemblais mes idées lors de rares journées de ski en m'assurant que des amies la rejoindraient pour passer l'après-midi avec elle. De temps à autre, prendre un café en bonne compagnie, dans un des petits établissements de la capitale, m'insufflait une bouffée d'oxygène.

Josée a toutefois écoulé les dernières semaines de sa vie clouée dans un lit thérapeutique que nous avions installé dans le salon, car elle ne pouvait plus se déplacer à sa guise. Ses dernières semaines furent particulièrement douloureuses. Je la voyais dépérir tant physiquement que mentalement, manger du bout des lèvres et perdre du poids tous les jours. Elle refusait de sortir du déni et répétait sans cesse qu'elle était trop jeune pour mourir, les yeux baignés de larmes. La nuit, je sursautais au moindre de ses soupirs, même si je dormais à l'étage. Elle avait besoin d'aide dès qu'elle devait s'extirper du lit. Je ne disais mot pour ne pas alourdir l'atmosphère et la stresser davantage quand je voyais des membres de sa famille attendre hypocritement que je quitte la maison pour discuter de sa succession. Comment pouvaient-ils se comporter ainsi?

Tout est différent avec Céline, car je m'estime très fonctionnel dans les premiers mois de ma maladie. Notre couple ne projette pas l'image d'un bateau à la dérive, la coque percée par le cancer. Nos visiteurs ne me surprennent pas alité et mal fagoté. Et pourtant leurs réactions sont parfois surprenantes. Certains m'ont proposé de me raser, de m'aider à faire une promenade dehors, de m'emmener faire un tour en auto. Cette fausse perception, compréhensible dans les circonstances, deviendra peut-être une réalité quand le cancer agrandira son territoire et évoluera comme bon lui semblera.

Je présume que de nombreux aidants naturels n'hésitent pas à profiter des ressources qui les aident à exécuter leur

tâche très délicate, dont un psychologue spécialisé en oncologie. Une décision sage dans bien des cas. Quand le cancer
frappe, l'horloge tourne à une vitesse folle et laisse peu de
temps à l'adaptation et peu d'espace à l'improvisation.

La vie sexuelle

Dois-je aborder ce sujet et vous emmener dans la chambre à
coucher des couples aux prises avec la maladie? J'entends la
grande question. Puis, qu'en est-il de la vie sexuelle, une fois
que l'un des conjoints souffre du cancer? C'est une affaire de
libido. Le désir varie d'une personne à l'autre, comme il varie
au fil des décennies chez tous les couples. Les conversations
entre amis laissent croire que ceux qui sont en bonne santé
font l'amour trois ou quatre fois par semaine. Compte tenu
des cas d'infidélité dans la société, il est permis de croire que
ces prétentions ne reflètent pas toujours la réalité. Par contre,
j'admets que le cancer peut mettre un frein à une belle entente
sexuelle entre deux conjoints. Certitude acquise, il ne deviendra jamais un stimulant. Comme je le souligne toutefois dans
l'avant-propos de ce livre, je ne suis pas un médecin spécialiste ni un psychologue. Je vous fais part de mon expérience
personnelle avec le cancer et je m'en remets à des confidences
reçues.

Les traitements affectent, selon mon parcours, davantage
l'aspect mental que la fonction sexuelle. La personne malade
se sent diminuée, moins attrayante. Les changements dans
l'apparence physique (perte de poids, chute des cheveux, cicatrices, tremblements, etc.) peuvent rebuter le partenaire ou

indisposer la victime. La fatigue constitue un autre problème majeur. De plus, je m'imagine mal dans des ébats torrides en portant à la taille le biberon et le produit chimique qu'il contient lors des deux derniers jours de la chimiothérapie. Ça ne ressemble pas vraiment à la ceinture emblématique de Spiderman.

Sur une note plus sérieuse, j'imagine tout le tact et le courage dont doit faire preuve une femme pour s'abandonner à l'amour quand elle a subi l'amputation d'un sein. Souvenez-vous, ceux qui l'ont vu, d'un épisode dramatique de la télésérie de Réjean Tremblay, *Lance et compte, Le grand duel,* quand Suzy Lambert (Marina Orsini) et Marc Gagnon (Marc Messier) font l'amour après cette délicate et traumatisante intervention. Le sport n'est jamais trop loin d'un journaliste sportif...

En fait, la vie sexuelle avec le cancer devient une affaire très personnelle. Deux personnes sur la même longueur d'onde peuvent se retrouver en opposition quand l'une d'elles souffre de cette satanée maladie. Le sexe existe pour l'acte comme tel, mais il ne faut pas oublier la tendresse et l'affection dans une relation. Cette chaleur humaine et le rapprochement qui en découle procureront bien souvent autant de réconfort à la personne malade. Elle ne se sentira pas rejetée. Tous les petits gestes de tendresse, ne serait-ce qu'un doux baiser sur les lèvres, une main flâneuse dans les cheveux, un câlin, lui rappelleront qu'elle existe toujours.

Il n'y a rien de plus démoralisant, à en juger par les témoignages que j'ai entendus, qu'un proche — pas nécessairement l'aidant naturel — qui prend ses distances face à la personne qui souffre d'un cancer. Ce n'est pas une maladie contagieuse. Les marques d'affection n'exercent aucune influence sur son évolution, pas même sur une éventuelle récidive, hélas !

De la compréhension, de la douceur, du dialogue — voilà des conseils qui pourraient s'appliquer à tous les couples, aux prises ou non avec la maladie. Néanmoins, on conviendra qu'il ne s'agit pas d'un contexte facile et que le tact s'impose dans une relation où l'un des deux partenaires est affecté par la maladie.

L'importance de l'amitié

Je ne peux conclure ce chapitre sur la place importante du compagnon ou de la compagne de vie, ainsi que sur l'apport de la famille immédiate, sans glisser un mot sur l'importance de l'amitié pour les personnes éprouvées par le cancer. Les amis, les vrais, deviennent importants dans la maladie. Ils ne peuvent tourner le dos à la personne souffrante, pas plus que celle-ci ne doit les repousser pour s'isoler. À moins qu'elle ne puisse supporter sa condition et l'image qu'elle projette.

Les amis apportent aussi une aide précieuse au conjoint qui accompagne la personne souffrante. Ils reçoivent des confidences et aident à partager les états d'âme de l'un et de l'autre. Un ami devient parfois l'aidant qui nous permet de réaliser un rêve, de vivre une journée spéciale, ne serait-ce qu'un petit moment de bonheur dans le long combat contre le cancer.

En restant proche du malade, les amis retireront des leçons de vie. Nous savons tous qu'elle ne tient qu'à un fil, mais côtoyer un proche dont le fil s'effiloche, et qui se rompra bientôt pour de bon, nous ramène à notre fragilité.

Je me suis réjoui en apprenant qu'un ami avait arrêté de fumer dans les jours qui ont suivi l'annonce de mon diagnostic. Un autre a foncé et a acheté le chalet dont il rêvait depuis longtemps. Un troisième a pris son courage à deux mains pour aller subir son premier examen de la prostate. Il était temps et il a été soigné rapidement. Je les remercie, car j'ai l'impression d'avoir été utile dans ma maladie.

L'amitié restera toujours l'une des plus belles preuves d'amour. N'ayez jamais crainte de montrer votre affection, de dire « je t'aime », de prendre quelqu'un dans vos bras. Une fois que la personne malade entreprendra son grand voyage, il n'y aura plus de place que pour les souvenirs. Il serait dommage de vivre avec le regret de ne pas avoir fait le bon geste au moment où l'on aurait tant voulu le faire, d'avoir hésité et finalement renoncé.

Je suis privilégié de compter sur beaucoup d'amis des deux sexes dans mon entourage. Ils supportent ma garde rapprochée et j'espère de tout cœur que Céline pourra compter sur eux après mon départ pour un monde qu'on prétend meilleur.

Un autre trésor dans mon coffre de vie.

CHAPITRE 8

Des sources d'inspiration

À chacune des étapes importantes de ma vie, des gens de mon entourage, de parfaits inconnus ou des personnalités, m'ont servi d'exemples ou de sources de motivation. Je m'inspirais de leurs réussites, de leurs méthodes de travail, de leur persévérance. J'admirais la confiance que certains affichaient, moi qui en ai toujours manqué.

Je sais également que les rôles ont parfois été inversés. J'ai aussi servi de modèle pour d'autres, si je me fie à de nombreux témoignages que j'ai reçus après l'annonce de mon diagnostic. De jeunes journalistes disaient vouloir marcher dans mes pas. Ça me surprend toujours un peu, n'ayant pas un ego très enflé.

Au moment où j'ai reçu mon diagnostic, je ne me rappelais aucune personne, proche ou éloignée, éprouvée par le même cancer que moi et qui pourrait me raconter ce qu'elle vivait. Bien que la famille et les amis puissent offrir du réconfort, où donc se trouvait ma source d'inspiration ?

C'est alors que j'ai appris que Charles Henry, un monument du hockey junior canadien et un ami de longue date de Wayne Gretzky, combattait ce type de cancer. « Charlie » a longtemps été associé aux Olympiques de Gatineau et il est à l'origine de la carrière des entraîneurs Alain Vigneault, Pat Burns et Benoît Groulx. Il a toujours eu l'œil pour découvrir le talent, autant chez les dirigeants que chez les joueurs. À titre de membre du comité de sélection du Temple de la renommée de la Ligue de hockey junior majeure du Québec, j'avais contribué à son admission en avril 2012. La réunion de notre comité s'était tenue en septembre de l'année précédente. Charles se trouvait alors dans un état piteux et ne ressemblait plus à l'homme droit et solide comme un chêne que nous fréquentions depuis des années. Nous nous inquiétions pour lui, à un point tel que nous redoutions de l'admettre à titre posthume quelques mois plus tard. Tel ne fut pas le cas. Charlie affichait une belle forme lors du gala de la Rondelle d'or de la LHJMQ, le soir de son admission. Il a reçu une ovation bien méritée. Au moment d'écrire ces lignes, il venait de fêter ses 75 ans et poursuivait son combat contre le cancer depuis deux ans. Lors d'un long repas en sa compagnie, auquel il m'a convié après avoir appris que nous partagions la même douleur, j'ai puisé en cet homme une source formidable de motivation et d'énergie. Je ne pouvais pas tomber sur un meilleur exemple de résilience.

« La première fois, dit-il, j'ai consulté un spécialiste à l'hôpital d'Ottawa, car je redoutais un problème au foie. Le docteur a vite conclu que ça n'était pas le cas, que c'était plutôt le pancréas qui était malade. La décision de m'opérer a été prise très rapidement. Je n'ai pas eu le temps de préparer mon épouse et mes enfants pour cette mauvaise nouvelle. J'ai eu beaucoup de mal à accepter ce cancer, même si tout s'est passé très rapidement. En arrivant à la maison après le diagnostic, je me sentais comme un gars qui venait de se faire frapper par un train. J'étais en état de choc et je cherchais les mots pour expliquer ma situation à ma femme. »

Charlie admet que son psychologue est devenu son meilleur ami. Celui qui l'empêche de trébucher quand ça ne va pas très bien. « Je me suis rendu compte que je ne suis pas aussi fort que je le pensais. J'ai toujours été une personne d'humeur égale. Maintenant, je vis des hauts et des bas. »

Peur de la mort

Charles, selon ses proches collaborateurs dans le hockey, n'a jamais été un grand livre ouvert. Il ne parle pas beaucoup de sa vie privée ni de ses problèmes personnels. Ses nombreuses confidences, au fil de notre discussion, m'ont néanmoins apporté beaucoup de réconfort. Il m'est apparu d'une grande sérénité et j'ai quitté le restaurant chargé à bloc. Je me sentais d'attaque. La raison en est fort simple : Charles et moi parlons le même langage. Nous nous comprenons. J'ai remarqué qu'il en allait souvent ainsi avec toutes les personnes cancéreuses avec lesquelles j'ai discuté ces derniers mois.

Malgré sa belle assurance, cet homme qui avait convaincu Gretzky d'acheter les Olympiques de Gatineau — il en a été le principal actionnaire pendant sept ans — redoute néanmoins la mort. Sur ce point, nous différons. Mais je n'ai pas encore été aussi affecté que lui par la maladie.

« Dans les premières semaines après mon opération, dit-il, j'ai vraiment eu peur de mourir, même si je me sentais en paix avec Dieu. Même si je suis croyant depuis toujours et que je sais que mon heure sonnera, je redoute ce jour. Peu importe ce que m'a réservé Dieu dans la vie, je ne me suis jamais révolté contre lui. J'ai accepté toutes ses décisions. »

Charles soulève un bon point quand il prétend que le caractère d'un homme ne change pas dans la maladie. Je le crois aussi, bien que je sache que tous ne partageront pas cette opinion. Ce que nous avons été à 20, 30, 40 ans se reflétera dans notre vie à 60, 70 ans et plus. Nos défauts deviennent plus évidents en vieillissant. Une personne impatiente ou colérique le restera. Il en va heureusement de même avec les qualités.

Voyage en Chine

Les personnes qui souffrent d'une grave maladie s'accrochent à quelque chose pour prolonger leur existence. Je n'ai pas tardé à le constater et je me suis fixé des objectifs à court, moyen et long termes, bien que le court terme ait préséance sur le reste.

Charles Henry m'a impressionné lorsqu'il m'a raconté son voyage en Chine en 2012. Dans son état, ça prend du courage pour entreprendre un si long périple. Ce n'est pas un vol banal de trois heures pour la Floride. Et ce n'est pas un pays où l'on trouve une nourriture familière et des soins médicaux appropriés en cas d'urgence, sans oublier la barrière de la langue. Mais ce diable d'homme a foncé et réalisé son rêve. Je suis convaincu que je n'aurais pas le courage ou l'audace de l'imiter. Il m'inspire néanmoins dans des projets de moindre envergure.

« Quand mon fils a appris la nouvelle de mon cancer, il m'a proposé de réaliser mon rêve une fois remis sur pied. Je lui ai répondu oui, sans vraiment y croire. Je n'étais vraiment pas dans un état physique et mental pour envisager un si grand projet. Eh bien, je l'ai fait, ce voyage ! »

Charles tenait à marcher sur la muraille de Chine. Pour se préparer adéquatement, il a parcouru des centaines de kilomètres au gymnase. Il a également participé à une marche dans les rues d'Ottawa pour amasser des fonds pour le cancer du pancréas. En novembre, jour de son anniversaire, il s'envolait vers le pays des dragons.

« C'était mon défi pour célébrer ma lutte contre le cancer. Pour moi, ce fut une réussite extraordinaire. J'ai marché pendant six heures. Mon fils prétendait que j'exagérais. J'ai amassé douze mille dollars pour la cause. Ce voyage a duré douze jours.»

J'admire Charlie, moi qui parviens difficilement à me convaincre de marcher un peu tous les jours dans mon quartier résidentiel. Quand je pense à ce qu'il a accompli, je me répète que je dois me prendre en main pour améliorer ma condition physique. Je ne dois pas me contenter de mes visites au gymnase.

Les projets de Charlie ne se sont pas arrêtés là. En 2013, en compagnie de Walter Gretzky, le père du célèbre numéro 99, il a visité des sites de guerre en France. « Il est aussi passionné que moi par les champs de bataille. Beaucoup de Québécois ont été tués pendant la Seconde Guerre mondiale. Ils ont été envoyés sur le front par des officiers qui ne voulaient pas s'y pointer le nez.»

En décembre 2013, il a assisté au championnat mondial de hockey junior en Suède. Puis il a inscrit un autre projet de voyage à son agenda: visiter les pyramides en Égypte. Je lui souhaite de réaliser ce rêve. Cet homme a appris à cultiver son bonheur malgré la maladie. «J'ai été heureux dans ma vie et je le suis toujours, dit-il, même si je sais que la fin approche.» Je ne nourris pas les mêmes projets que lui, mais le voir rêver à son âge, et continuer à mordre dans la vie, me convainc que je dois foncer tête première et profiter au maximum du temps que la vie m'accorde.

En nous quittant ce midi-là, Charlie m'a donné rendez-vous dans un an, à la même date, au même endroit. Je n'allais surtout pas lui dire non.

Le temps de se rapprocher

L'expérience du cancer du pancréas fut également une rude épreuve dans la vie de Philippe Boucher, l'ex-défenseur de la Ligue nationale qui a pris la relève de l'entraîneur Patrick Roy derrière le banc des Remparts de Québec à l'automne 2013. Cette maladie a eu raison de son père Jean-Claude, décédé en mars 2007, moins d'un an après avoir appris la tragique nouvelle. Philippe, un enfant unique, n'a pu être présent auprès de son père, comme il l'aurait souhaité. Il défendait alors les couleurs des Stars de Dallas, où il a évolué pendant un peu plus de six saisons. Ce fut une épreuve pénible à vivre à distance, d'autant plus que sa carrière de joueur ne lui accordait pas toute la latitude nécessaire pour se rendre au chevet de son père. De plus, lorsqu'il a appris la triste nouvelle, Jean-Claude a refusé de dévoiler à son fils l'espérance de vie que la médecine lui accordait.

Malgré tout, la maladie a permis à Philippe de se rapprocher de son père et de régler des problèmes relationnels entre eux. Le plus beau cadeau que le temps pouvait leur accorder. Ce temps qu'une mort annoncée nous laisse et qu'il ne faut surtout pas gaspiller.

Personnellement, j'aurais aimé que ma première épouse et moi fassions le bilan de notre vie commune avant qu'elle quitte ce monde. Mais le déni dans lequel elle est restée plongée, jusqu'à quelques jours avant sa mort, nous a privés de ces moments intenses et si importants pour le survivant. Des questionnements resteront à jamais sans réponse. Qu'aurait-elle pu me dire que j'aurais aimé — ou ne pas aimé — entendre? Qu'a-t-elle pu confier à d'autres membres de sa famille, dont son père, que je ne saurai jamais?

Philippe Boucher, lui, s'est vu offrir cette possibilité. Il estime que son père est parti pour l'au-delà avec la tête et le cœur en paix. «En plus de ses problèmes avec moi, il a mis les choses au clair avec ma mère, ses frères et sœurs. Ce n'était pas toujours évident à vivre. Avec moi, il n'a pas été en mesure de le faire verbalement. Il m'a écrit une longue lettre, avec la collaboration d'une autre personne. On a réussi à se rapprocher dans les dernières heures de sa vie.»

Jean-Claude Boucher tenait à ce que son fils réussisse dans le hockey professionnel. Il était un de ces parents qui poussent dans le dos de leurs enfants et qui, trop souvent, en viennent à les décourager.

«Ma jeunesse n'a pas été facile avec papa, explique celui qui fut le premier choix des Sabres de Buffalo (13e) en 1991. Mes parents ont divorcé alors que je n'avais que 14 ans. Mon père était alcoolique et il a fallu qu'il se prenne en main pour arrêter de boire, ce qu'il a réussi. Je ne lui en ai jamais voulu pour son alcoolisme, ça aussi c'est une maladie qui fait des ravages.»

Subissant cette pression, Philippe a failli tout lâcher. «Il a été dur avec moi. Il voyait peut-être des choses qui m'échappaient, mais ce ne fut pas facile. Beaucoup de gens devinaient mon potentiel, mais mon père m'en demandait tellement que je ne m'amusais pas toujours.»

De son lit d'hôpital, Jean-Claude a vécu un moment palpitant lorsqu'il a vu son fils participer à son unique match des étoiles de la LNH, en janvier 2007. « Un dirigeant de la ligue m'a contacté pour me demander si je préférais disputer cette partie ou profiter de la pause pour aller voir mon père à Québec. J'ai pris la décision avec mon père. Il ne voulait absolument pas que je refuse cette invitation. La famille s'est réunie dans sa chambre et il a regardé le match avec les siens, même s'il en a manqué des bouts, parce qu'il s'endormait. »

Philippe soutient que son père se raccrochait à ces moments privilégiés pour prolonger sa vie.

« Quand papa a appris qu'il souffrait du cancer du pancréas, il a refusé la chimio, mais il s'accrochait toujours à quelque chose. S'il y a une qualité que j'ai admirée chez lui, c'est la persévérance. À 43 ans, à la suite d'un anévrisme, il est resté paralysé du côté gauche. Il n'a plus jamais travaillé. Il ne devait plus jamais marcher non plus, mais il a remarché. Même chose avec la conduite de son automobile. Il ne s'est jamais apitoyé sur son sort. C'est la même attitude qu'il a adoptée dans son combat contre le cancer. »

Faire son deuil

Les milliers de kilomètres qui le séparaient de Québec et les exigences de sa carrière de hockeyeur ont empêché Philippe Boucher d'assumer pleinement son rôle d'aidant naturel. Puis, un jour, il a reçu le coup de fil qu'il redoutait. Il ne devait pas tarder à se rendre auprès de son père s'il tenait à ce que ses enfants voient leur grand-père avant qu'il passe l'arme à gauche. Philippe a aussitôt demandé à sa conjointe de préparer les bagages, mais il a appris alors une autre mauvaise nouvelle : elle refusait de l'accompagner à Québec, car elle devait subir une batterie de tests médicaux dans les jours suivants.

« Je n'ai rien vu de tout ça tellement j'avais la tête ailleurs, admet Philippe. Les médecins redoutaient un cancer du cerveau chez mon épouse, ce qui heureusement ne s'est pas avéré. Mais j'étais vraiment secoué. J'ai remis ma vie en question. Qu'est-ce donc qui est si important dans ma vie pour que je ne me rende pas compte de ce qui se passe dans ma propre maison ? Je ne savais vraiment plus ce qui était important pour moi, incluant ma carrière. »

Ce soir-là, les Stars recevaient les Kings de Los Angeles à Dallas. Constatant l'état d'esprit de son défenseur, l'entraîneur Dave Tippett lui a proposé de prendre congé. « C'était impossible pour moi. Il fallait que je joue pour tout évacuer. J'ai réussi le seul tour du chapeau de ma carrière. J'ai gardé la rondelle pour mon père. »

Philippe aurait-il pu en faire davantage s'il avait été un homme d'affaires à Québec et non un hockeyeur professionnel à Dallas ? Il croit que non. Il estime que les problèmes les plus importants ont été réglés avant que Jean-Claude ne trépasse.

« Je me demande cependant si j'ai réussi à faire mon deuil, six ans après sa mort », a-t-il lancé à la fin de notre entretien, le ton songeur. Il est le seul à posséder la réponse à cette question.

CHAPITRE 9

Si la vie déjouait la maladie...

J'ignore s'il en va de même pour toutes les victimes, lorsqu'elles apprennent qu'elles souffrent d'un cancer incurable, mais, dans les deux ou trois premiers mois suivant cette triste nouvelle, je me suis comporté comme si je devais préparer ma mort le plus rapidement possible, au détriment des jours restant à mon calendrier. Je ne voulais pas être surpris par la fin de ma vie.

J'agissais comme un voyageur qui se prépare à partir et qui dépose ses valises à la porte une semaine avant le départ. Je suis devenu terriblement méthodique, tout à l'opposé de ma personnalité bohème. Auparavant, je me rapprochais davantage de l'artiste que du comptable. Mais, soudain, je m'empressais de refaire mon testament chez le notaire et de mettre de l'ordre dans tous mes papiers. J'ai réglé quelques petites dettes, éliminé des cartes de crédit, jeté un coup d'œil sur mes impôts de l'année qui tirait à sa fin. Bref, j'ai fait le ménage dans mes affaires un mois après l'annonce du diagnostic.

J'ai discuté avec ma conjointe de mon inhumation et de mes funérailles. Comment ma succession allait-elle disposer de mes cendres? J'ai déjà une place qui m'attend dans un parc commémoratif où je possède une urne double avec ma première épouse. Cette perspective n'enchantait pas Céline. Pourquoi ne pas prévoir ensemble l'achat d'une niche dans un autre parc commémoratif de Québec? Personnellement, je n'attachais pas d'importance à ce détail, si ce n'est qu'une question de principe. Je me sentais dans l'obligation morale de respecter celle qui fut ma partenaire de vie pendant notre mariage de vingt-huit ans. Puisque, à ce stade, nous ne serions plus que poussière, je ne voyais pas la nécessité d'une seconde urne. Une seule place ferait très bien l'affaire. Après tout, malgré les belles promesses de ceux qui nous survivent, très peu se recueillent régulièrement au lieu où l'être cher est inhumé. À la blague, j'ai demandé à Céline comment répartir mes cendres dans les deux urnes. Quelle épouse passerait l'éternité avec la partie supérieure de mon corps, et laquelle hériterait de la partie inférieure ? Allait-on inscrire sur l'urne : ICI REPOSE LA MOITIÉ D'ALBERT. POUR L'AUTRE MOITIÉ, RENDEZ-VOUS À CETTE ADRESSE… ? Au moment d'écrire ces lignes, la discussion se poursuivait toujours. Je présume que le problème se pose de plus en plus souvent, avec le nombre grandissant de couples reconstitués.

La dernière photo

Après avoir reçu le diagnostic, j'ai cessé de faire des projets d'avenir. L'avenir n'existait plus pour moi. Les oncologues n'avaient pourtant pas estimé mon espérance de vie. J'étais fortement influencé, plus inconsciemment que consciemment, par le fait que les malades ne survivent pas longtemps au cancer du pancréas.

J'agissais également comme une personne qui, sachant qu'elle va mourir, s'empresse d'effectuer une tournée d'adieu auprès de sa famille et de ses amis. Il ne fallait pas que j'en oublie un seul. Les émotions grimpent au maximum au début de la maladie. On a encaissé le choc, mais on ne l'a pas encore digéré. Presque tout le monde dans mon entourage se comportait toutefois comme moi. Les amis se hâtaient de venir à ma rencontre, pour me voir « une dernière fois », pensaient-ils peut-être. Je ne leur reprocherai absolument pas cette attitude, car j'ai reçu de très beaux témoignages d'amour et d'amitié. Inutile de préparer mon éloge funèbre le jour où je trépasserai. J'aurai bénéficié de cet immense privilège bien avant mon décès.

L'événement qui m'a le plus marqué et amusé à la fois fut le combat de championnat du monde entre Adonis Stevenson et Tony Bellew au Colisée de Québec, le 30 novembre 2013. Je n'aurais pas manqué cette soirée pour tout l'or du monde, car je savais que j'y rencontrerais beaucoup de confrères et d'intervenants du milieu de la boxe, des gens que je n'avais pas eu l'occasion de croiser depuis l'été. Et je tenais à voir le combat de Stevenson.

Ce soir-là, ma présence au Colisée en a étonné plusieurs. Ils ne m'imaginaient pas en mesure de me déplacer, surtout pas de passer six heures dans l'ambiance survoltée d'un gala de boxe professionnelle. Tous voulaient connaître mon dernier bilan de santé et plusieurs en ont profité pour prendre une photo avec leur cellulaire. Encore là, la dernière photo avec Albert ! On ne me le disait pas, bien entendu. C'est dans cette ambiance de fin de vie que se sont déroulés les premiers mois de mon combat contre le cancer.

Motivé par la bonne nouvelle

La maladie peut nous jouer de sales tours, mais la vie peut lui offrir une solide réplique. La résistance du corps et de l'esprit permet de remporter des combats et de repousser l'échéance. Je suis convaincu que la force de caractère constitue l'un des médicaments contre le cancer et bien des épreuves de la vie. Nous ne devenons pas automatiquement une statistique.

Après avoir effectué toutes les tâches à l'ordre du jour du défunt que je deviendrai, j'ai dû faire un nouveau bilan de santé et me soumettre à des examens sur l'efficacité de la chimiothérapie. Pas un médecin n'évoquait une mort prochaine. Ma vie allait se prolonger plus longtemps que je le croyais depuis le jour de la mauvaise nouvelle, en août. J'aurais dû avoir cette pensée dès le départ. Prioriser la vie à la mort dans la recherche d'un équilibre. Oui, je devais préparer mon décès, afin d'aider mes proches qui subiront ces moments pénibles de la séparation, mais j'aurais dû comprendre aussi que je devais poursuivre ma vie, me fixer des buts, des objectifs. Si le moral parvenait à tenir le coup, il serait une arme efficace dans mon duel contre le cancer.

Les bonnes nouvelles que j'ai apprises pendant le traitement sont devenues une grande source de motivation. Elles m'encouragent et m'amènent à penser qu'il existe une multitude de raisons valables d'espérer des jours meilleurs, dans les circonstances. Inutile de rester les bras croisés à attendre je-ne-sais-quoi. J'ai encore besoin de rêves et de projets. Une mauvaise nouvelle peut cependant produire l'effet contraire. Je demeure en état d'alerte. Tout reste fragile quand on lutte contre le cancer et qu'on redoute le lendemain.

Un round à la fois

J'ai souvent comparé cette bataille à un combat de boxe contre le champion du monde. Je sais qu'il remportera la bagarre de douze assauts, mais je me dois de gagner des rounds et surtout d'éviter un knock-out rapide. Je dois rester vigilant, profiter de la moindre occasion de lui faire mal, et croire aveuglément que je suis capable de me tenir debout dans la douleur, malgré la puissance et le talent de l'athlète que j'affronte, et malgré la crainte qu'il m'inspire. Tout comme à la boxe, où je ne peux planifier le 8e round alors que je n'en suis qu'au 3e, je dois y aller une étape à la fois et cultiver le moment présent.

Tous les malades du cancer tiennent obstinément le même discours : une journée à la fois. Se lever, ne pas ressentir de douleur, accomplir de petites choses — peut-être même de grandes choses — et se coucher avec la satisfaction du devoir accompli et d'avoir ajouté une journée de plus à notre parcours. Mais, compte tenu de la vie trépidante de journaliste que fut la mienne, j'ai du mal à me limiter à ces petits bonheurs. Ça m'en prend plus. Je me fixe des projets à moyen et long termes, sans toutefois regarder des années au loin. Ce livre est un projet à moyen terme. La naissance d'un enfant en juillet, c'est du long terme.

J'ai réalisé beaucoup de mes grands rêves et de mes ambitions au cours de mon existence. Je ne suis donc pas en mode urgence, à la recherche d'un dernier grand coup d'éclat, comme acheter une moto ou un motorisé, un bateau, une nouvelle maison, faire un voyage en Europe, ou encore vivre à la campagne, m'occuper d'une fermette, m'impliquer bénévolement dans des causes. Rien ne m'empêche toutefois d'envisager l'achat d'une dernière automobile, même si je conduis moins souvent et que je crains qu'une mort rapide en fasse un achat totalement inutile. Ce dernier exemple révèle surtout le besoin que je ressens de caresser des projets à long terme, plutôt que le simple besoin d'acquérir des biens matériels.

Je suis conscient toutefois que la santé financière des personnes touchées par le cancer ne permet pas toujours la réalisation de grands rêves. Beaucoup sont en mode de survie précaire. L'argent et les biens qu'ils possèdent risquent d'être engloutis dans leur combat. Pour d'autres, le cancer se montre tellement virulent qu'ils ne pourront pas profiter des rares bons moments qu'ils pourraient vivre.

Passer l'éponge

Au-delà de l'argent et du matériel, la maladie peut créer des rapprochements entre des amis ou des membres de la famille qui étaient séparés par des conflits. Un père retrouve son fils ; une fille pardonne à sa mère ; deux frères renouent leurs liens et oublient une histoire de femme qui les séparait depuis une dizaine d'années.

En avril 2007, un lock-out a éclaté au *Journal de Québec*, une première dans l'histoire de ce quotidien. Il a duré seize mois. Inévitablement, un si long conflit apporte son lot de frictions. Du personnel est embauché sous différents prétextes pendant la préparation du conflit. Les syndiqués devinent que ces « employés temporaires » effectueront le travail en leur absence. Loin de moi l'intention de faire dans ce livre le procès de ces gens. Une personne, que je connaissais depuis plus de vingt ans, a bondi sur l'occasion pour des raisons qui sont siennes. Je ne lui adressais plus la parole et je ressentais même de l'agressivité à son égard. L'automne dernier, j'ai croisé cet homme dans un restaurant, où il mangeait avec une vingtaine de convives, dont plusieurs m'étaient familiers. J'ai salué la plupart de ces gens. Puis, en m'approchant de lui, j'ai décidé de passer l'éponge. Si je n'avais pas été éprouvé par le cancer, je n'aurais jamais fait cela, mais désormais il ne me servait plus à rien d'entretenir ce conflit. J'ai renoué cordialement avec cette vieille connaissance. Je sais qu'il a été touché par mon attitude et j'ai fermé ce dossier avant que mon heure arrive.

Par contre, la maladie ne nous incite pas à tout pardonner. Les blessures sont parfois trop profondes. Par exemple, je sais que je mourrai sans avoir passé l'éponge sur le comportement de deux membres de mon ancienne belle-famille. Tout ne trouve pas sa solution dans la maladie.

Replacer les priorités

Depuis le 12 août 2013, j'apprends à replacer mes priorités dans l'ordre. Le matériel occupe moins de place dans ma vie, même si je ne foncerai pas tête première dans la simplicité volontaire quand j'ai toujours apprécié le luxe et le confort. Je ne perds plus la tête pour quelques jours de pluie ou de froid intense. Je m'efforce de me montrer plus à l'écoute des gens de mon entourage, même si je ne partage pas toujours leurs opinions. Mais on ne change pas en claquant des doigts. Je ne me mettrai pas à ignorer des rêves, à mettre de côté mes ambitions, parce que je sais que le cancer va m'emporter.

Il s'avère très difficile de trouver le juste milieu. Même en y apportant de petites modifications, ma personnalité continuera de me guider jusqu'à la fin de mes jours. Mes défauts ne disparaîtront pas. Impatient, je l'ai toujours été et le resterai, avec le risque que cette impatience augmente à cause de la maladie. Ce qui est le cas d'ailleurs. Je dois aussi m'adapter à une vie de famille avec trois filles et un garçon, tous de jeunes adultes, qui s'appuient sur leur courte expérience de la vie pour me conseiller. Parfois, j'ai l'impression de négocier avec un clan tissé très serré, à qui je dois faire comprendre ce que je ressens. Mais certains jours je ne saurais où j'en suis, sans ce cocon familial qui me protège.

La maladie m'a plongé dans un autre univers. Je dois me familiariser rapidement avec cette nouvelle réalité, sans chercher à trop savoir si mon caractère et mon endurance déjoueront ce cancer. Je ferai tout ce que je peux pour le forcer à attendre son tour le plus longtemps possible avant de remporter la bagarre.

CHAPITRE 10

Ma seconde vie

Saint Augustin prêchait ceci : « La mort n'est rien. Je suis seulement passé dans la pièce d'à côté. Je suis moi, tu es toi. Ce que nous étions l'un pour l'autre, nous le sommes toujours. » Je plains ceux qui apprennent que leurs jours sont comptés, mais qui ne croient ni en un dieu ni en la vie dans l'au-delà. Ils attendent leur départ pour le néant, le vide absolu. Le corps se défait, l'âme se désintègre. Rien de réjouissant dans cette perspective. À quoi bon cette existence vécue dignement, pour la grande majorité d'entre nous, si c'est pour récolter, à la fin, la noirceur et la destruction ? Désolé, mais, pour moi, ça ne tient pas la route. Si la mort n'ouvre pas la porte sur un autre monde, qui a toujours été annoncé comme étant meilleur, la naissance de l'homme perd toute sa signification. Je n'arrive pas à m'imaginer que la vie ne nous conduira pas dans un univers d'amour et de perfection. J'aurais donc terriblement perdu mon temps sur cette terre.

Un proverbe arabe joue une belle musique à mes oreilles : « Souviens-toi qu'au moment de ta naissance, tout le monde était dans la joie et toi, dans les pleurs. Vis de manière qu'au moment de ta mort, tout le monde soit dans les pleurs et toi, dans la joie. » On a oublié d'ailleurs que les funérailles devraient constituer un moment de réjouissance, malgré la douleur causée par la perte d'un être cher, car la séparation ne devrait se révéler que temporaire. Il en va ainsi dans la foi catholique, et pour d'autres religions beaucoup plus exubérantes et festives dans leurs rites funèbres. Qu'on se souvienne des célébrations lors du décès de Nelson Mandela en 2013.

Un confrère d'une station de radio de Québec ne cachait pas son étonnement face à mes convictions religieuses solidement ancrées. En discutant avec lui, je me suis rendu compte qu'il partage ma vision de la mort et de ce qui doit s'ensuivre, sauf qu'il n'établit pas de relation avec la religion ou l'existence de Dieu. Les yeux pleins de tendresse, il dit s'émouvoir chaque fois qu'il assiste à la naissance d'un enfant. Sa première conjointe a accouché de deux garçons, et la seconde lui a donné un troisième fils. Il s'émerveille devant ce petit être d'apparence fragile, mais dont le cerveau contient en germe toutes les ressources pour devenir un homme exceptionnel. Sans oublier ce petit corps en développement qui pourrait devenir si puissant. À la naissance, l'humain n'est limité par aucune entrave, sauf peut-être s'il souffre d'un handicap physique. Mais, souvent, il parviendra à le surmonter.

Les parents caressent de grands projets d'avenir pour leur nouveau-né. La vie qui commence à peine à se manifester en lui n'inspire que de l'espoir. On ne s'imagine pas que ce poupon deviendra un être diminué physiquement ou mentalement au cours de sa vie. Au contraire, on entrevoit de grandes et belles choses pour lui. Pourtant, si ce bébé avait conscience du chemin dans lequel il s'engage en toute innocence, il serait peut-être aussi terrifié que cet adulte expérimenté qui attend la mort dans les mois à venir. Cela dit, l'un et l'autre méritent de partager le même rêve, de croire en un destin exceptionnel. Après tout, nous venons tous probablement du même univers mystique et nous y retournerons.

Abandonné à soi-même

Au cours de ma vie, j'ai été passionné par la lecture de bouquins sur la vie après la mort, la survie de l'âme ou de l'esprit, peu importe les termes utilisés. En ces heures de questionnement, je m'efforce de me rappeler les auteurs qui m'ont le plus influencé, ceux qui ont émis les hypothèses qui me semblent les plus plausibles. Raymond A. Moody, docteur en philosophie et médecin américain reconnu pour ses travaux sur les expériences de mort imminente, a publié trois ouvrages sur le sujet, qui figurent parmi mes favoris.

En apprenant que mon heure approchait, je n'allais pas renier mes convictions, mais plutôt m'y accrocher solidement, comme un bateau qu'on arrime à son quai à l'approche d'une tempête. Je n'allais pas partir à la dérive comme une embarcation sans gouvernail. Personne en ce monde ne peut toutefois s'en remettre à une personne décédée, qui pourrait lui confirmer catégoriquement qu'il existe bien une vie après la mort et que l'esprit poursuit sa route, détaché du corps, dans ce que nous appelons l'au-delà. C'est une question de foi. Je ne peux contredire celui qui refuse de croire. Il a peut-être raison. Je me sens toutefois incapable de partager sa vision. À son tour, l'athée doit cependant accepter ma foi, sans nécessairement me donner raison. Personne n'est revenu de cet univers mystique, sauf, affirmeront les plus fervents croyants, le Christ ressuscité des morts à Pâques.

« Personne n'en est revenu, effectivement, mais de grands malades ont vécu des expériences de mort imminente. Ils ont livré des témoignages percutants », me rappelle le prêtre séculier Jean Lafrance. Je me suis lié d'amitié avec cet homme lors de mon implication dans une de ses œuvres, à Québec, le magasin Partage, un organisme qui aide les familles démunies pendant la période des fêtes. Il dirige également la Maison des jeunes, un refuge pour adolescents à la recherche d'un toit et d'amour, qui ont souffert du rejet de leur famille. Jean en a replacé plusieurs sur le bon chemin. Ils lui en sont reconnaissants.

Dans les jours qui ont suivi mon diagnostic du cancer, j'ai pensé que cet homme pouvait m'aider à trouver du réconfort dans la maladie, étant donné qu'il combat un cancer colorectal et un cancer du poumon depuis 2010. La maladie ne l'a pas épargné. Je vois en lui un judicieux conseiller, un mentor. Je ne saurais me priver de son regard sur la mort et de la spiritualité qui l'habite. Il ne se trouve jamais plus loin qu'à un coup de fil pour répondre à une question ou me refiler un conseil au besoin. Jean a accompagné beaucoup de monde en fin de vie et d'autres personnes qui ont marché sur le fil, entre la vie et la mort. Ces gens lui ont presque tous répété la même histoire : ils avançaient dans un tunnel, apercevaient une lumière. Puis, des personnes décédées, qu'ils ont connues, venaient à leur rencontre. Les scientifiques expliquent souvent ces visions par des réactions chimiques dans le cerveau. Je n'adhère pas à cette théorie. Je préfère croire en une vie après la mort. J'aurais toutefois préféré entendre des histoires plus nombreuses pour renforcer mes convictions quant à ce qui m'attend une fois que je ne serai plus de ce monde. Néanmoins, je partage avec Jean une pensée. Comme lui, je crois en la vie après la mort et à la survie de l'âme.

S'affirmer comme croyant à notre époque, au Québec, demande une dose de courage. Je ne trouve rien de honteux dans ma prise de position. Pourtant, des gens s'étonnent de me voir afficher ma foi, sans nécessairement la claironner sur tous les toits. On m'a demandé si je ne cherche pas tout simplement un refuge contre la maladie qui m'accable. Autrefois, nos ancêtres puisaient dans l'Église une source de réconfort et de paix. Ce besoin d'être réconforté existe encore aujourd'hui, mais, quand la maladie frappe aussi durement que le cancer, la victime se retrouve parfois abandonnée à elle-même. Il faut vivre ce drame personnel pour en saisir toute l'ampleur. Ceux qui parviennent à bien nous comprendre, ce sont souvent d'autres malades, qui vivent ce drame avec leurs émotions.

Je me suis demandé comment j'allais négocier avec le cancer lorsque j'ai appris la nouvelle. J'ai ressenti le besoin de me confier à quelqu'un d'extérieur, et non pas uniquement aux personnes qui m'entourent. J'ai trouvé en Dieu un interlocuteur. Par mes prières et mon dialogue avec lui — je devrais plutôt dire «monologue» —, je pouvais m'ouvrir sur mon jardin secret et dévoiler mes états d'âme. Cela se passe en communion et dans l'intimité.

Passer une vingtaine de minutes dans une église en milieu d'après-midi — la plupart du temps à la basilique de Québec après un rendez-vous à l'hôpital — m'apporte du réconfort. J'apprécie le silence qui y règne. «Dieu est silence», me disait d'ailleurs le père Lafrance. Personne ne se préoccupe de moi. Il y a néanmoins une présence qui vient me chercher. C'est d'un calme réconfortant.

Jaser avec Dieu ne requiert toutefois pas un décor spécifique. À la maison, les minutes précédant le sommeil favorisent ce contact, tout comme quand je suis au volant de mon auto, à condition de ne pas essayer de joindre Dieu par texto. La communication des esprits se révèle beaucoup plus sûre.

Dans tous ces questionnements et dans la douleur qu'engendre mon enrôlement presque militaire contre le cancer, je ne pouvais exclure Dieu. Je l'ai interpellé dès les premières heures, sans jamais lui réclamer un miracle. Ça n'existe pas. Je quémande plutôt le réconfort, je cherche un accompagnateur jusqu'à la cloche finale. J'essaie de trouver des réponses en priant et en méditant. Je sais fort bien que je n'entendrai pas une voix me répondre. C'est quelque chose que je ressens dans mon cœur. Je lui attribue parfois les bonnes nouvelles que je reçois de l'oncologue après une série de traitements.

Je n'ai jamais mis en doute l'existence de Dieu, en qui je crois depuis mon enfance. Si je l'avais fait, j'aurais vu le scénario de ma fin de vie changer radicalement. Il y a une raison derrière toute chose et je présume que je l'apprendrai en temps et lieu.

Si un religieux comme Jean Lafrance considère ses deux cancers comme des tests pour éprouver sa foi, je ne vois pas pourquoi je me révolterais et crierais à l'injustice. J'ai accepté, sans essayer de la comprendre, l'épreuve de la maladie que Dieu m'impose en fin de parcours. «Il vient vérifier si ma confiance en lui s'effrite», m'a dit Jean, sans devoir insister pour me convaincre.

Dialoguer comme avec un ami

Lors d'une entrevue menée par Dominic Maurais, de Radio X à Québec, on m'a demandé comment je formulais mes prières. La question m'a pris de court. Voilà une incursion directe dans mon jardin secret, qui m'a rendu inconfortable.

J'ai éprouvé un peu de gêne. Mais je me devais d'y répondre le plus honnêtement possible. S'il m'arrive de recourir aux prières conventionnelles, comme le *Notre Père* et le *Je crois en Dieu*, c'est plutôt une conversation à bâtons rompus que j'entretiens avec Dieu, mon « ami imaginaire », comme le chuchotent ceux qui se moquent de mes croyances religieuses. Je le remercie pour l'évolution positive de la chimio et le contrôle que la médecine a réussi à exercer sur la progression du cancer. J'implore son aide ou celle de mes proches décédés, à qui il a pu refiler la mission de me soutenir dans la poursuite de mon combat.

S'il m'importe d'avoir l'appui de ma famille et de mes amis, je requiers spirituellement l'aide de ceux qui m'ont précédé dans l'au-delà, sans savoir néanmoins ce qu'ils peuvent accomplir. Existent-ils toujours ? Ma foi ne se révèle pas un gage de vérité, bien que je le souhaite fortement.

Je m'étonne de parler si ouvertement de mes croyances spirituelles ou religieuses. Se confier publiquement sur sa spiritualité n'est pas une avenue que la société actuelle nous incite à emprunter. La laïcité et la neutralité religieuse occupent le haut du pavé. Les opinions sont tranchantes à ce sujet. La tendance est de nous enfoncer dans la tête que la religion n'a plus sa place dans nos vies. Pour ma part, mes croyances forment un aspect de ma personnalité que j'ai toujours gardé confidentiel. Tout cela m'appartient au plus profond de mon être. Je ne suis pas convaincu que tous partagent mes convictions, même parmi mes proches. Notamment les enfants de ma conjointe, qui sont issus des générations qui ont balancé toute spiritualité par-dessus bord. Je ne tenterai jamais de les convaincre. Nous n'en discutons même pas. À chacun sa façon d'envisager la mort et ce qui suivra, s'il existe une seconde vie, un être suprême, etc. On ne pense pas à ces choses-là quand, dans la vingtaine ou au début de la trentaine, la vie nous réserve encore tellement de grands moments. Il faut qu'il en soit ainsi, d'ailleurs. Chaque chose en son temps. J'espère, pour ma conjointe et sa progéniture, qu'une maladie aussi dévastatrice ne leur imposera pas un jour l'épreuve que je traverse.

Ce n'est pas la première fois que je m'adresse à Dieu dans les épreuves de la vie. J'estime que cela m'a bien servi. Je ne fais pas que lui demander de l'aide. Après tout, je ne peux exiger de Dieu qu'il règle tous mes problèmes. Je le remercie également et j'en ressens toujours un grand bien-être.

Un contact avec l'au-delà

Lorsque je pense à la poursuite de ma vie dans l'au-delà, je patauge dans le néant au sujet de ce que j'y découvrirai. J'aimerais analyser les points de vue d'auteurs spécialisés, mais aucun d'eux n'a pu me convaincre qu'il détenait la vérité. Ils spéculent, tout comme moi. Certains exposent des théories loufoques, d'autres tiennent des propos plus structurés et acceptables.

Généralement, la philosophie des moines tibétains et les enseignements du bouddhisme m'apparaissent réfléchis. J'ai savouré également l'œuvre d'un neurochirurgien américain, victime d'une méningite qui l'a plongé dans un coma durant une semaine. Il a fait un voyage dans l'autre monde par une expérience de mort imminente. Ce qu'il a vu a totalement bouleversé ses certitudes de scientifique, qui guidaient jusque-là sa spiritualité. Eden Alexander prononce maintenant des conférences aux États-Unis sur son expérience exceptionnelle, et il a publié un livre intitulé *La Preuve du paradis.*

Sur le plan personnel, deux rencontres avec un médium de la Rive-Sud de Québec — j'en vois déjà sourire — m'ont ébranlé. On m'avait recommandé d'aller consulter Dave. J'ignorais le comportement qu'il adopterait et je craignais de le voir tomber dans le spectacle délirant d'un homme en transe. Eh bien, pas du tout ! Concentré au maximum, la respiration très profonde, il a établi des liens avec des entités que je connaissais, dont une tante décédée, la sœur de ma mère. Louisa a été sa principale interlocutrice. Je n'entrerai pas dans les détails de la discussion avec ces esprits, mais je reconnais que, dès les premiers instants du premier rendez-vous, la précision des informations m'a ébranlé. Pourtant, Dave ne savait rien de moi, sauf mon prénom. Le choc le plus brutal, je l'ai encaissé à la toute fin de notre rencontre, alors qu'il était en contact avec ma première épouse, décédée en 2009. Josée m'a révélé des pans de sa vie à l'époque de sa jeunesse, qui impliquaient des personnes de son entourage. Elle décrivait certains détails avec la précision d'un chirurgien. Elle m'a également expliqué la raison de sa dernière confidence, avant de sombrer dans le coma qui allait la conduire à la mort, 19 heures plus tard. J'aurais voulu l'interroger davantage, pour découvrir le fond de sa pensée, mais les circonstances ne s'y prêtaient pas. Personne d'autre que moi n'a entendu ses propos que je garderai confidentiels. Et encore moins Dave, une personne que je rencontrais pour la première fois.

Ce contact avec l'au-delà, une expérience vécue également par une consœur de travail qui en est ressortie tout aussi abasourdie que moi, reste ce que j'ai vécu de plus intime à propos de la vie après la mort. Loin du voyage astral !

J'aimerais bien savoir ce qui m'attend lorsque j'entamerai cette seconde vie. Ceux qui y croient comme moi échafaudent des scénarios fondés généralement sur une reproduction de la vie sur terre. Rien de plus nébuleux dans un monde où règnent les esprits. Le niveau de spiritualité dicte possiblement la vie dans ce monde. Dans une perspective plus proche de la réincarnation, ce que rejette l'Église catholique, le rôle de l'esprit dans l'univers consiste peut-être à guider et à protéger ceux qui poursuivent leur chemin sur terre.

L'être humain aime bien croire à la réincarnation, une façon de garder le contact avec ce qu'il a connu, ce qu'il a vécu et qui lui procure un sentiment d'immortalité. Nous avons tous rêvé à une autre vie à un moment donné, ou, à tout le moins, nous nous sommes questionnés sur ce que nous aimerions devenir si la réincarnation existait. Des théoriciens de la vie après la mort évoquent même jusqu'à sept vies avant d'atteindre la plénitude globale.

J'arrêterais mes choix sur deux vies, si on m'offrait cette opportunité. Pour la première, je me verrais revenir dans la peau du propriétaire d'un ranch de chevaux ou de centaines de têtes de bétail, vivant dans l'Ouest canadien ou américain. Le grand air, les montagnes, de magnifiques bêtes, bref, un univers totalement à l'opposé de ce que fut ma vie. J'aimerais y élever une famille de quatre ou cinq enfants. Je découvrirais peut-être pourquoi j'ai toujours craint les chevaux, que j'admire pourtant.

Pour le second choix, j'opterais pour la carrière jet-set d'un designer international de mode féminine. Je m'imagine vivant à Paris ou à Milan dans cet univers fou, mais malheureusement trop souvent superficiel. Je pourrais aussi envisager la vie normale et heureuse d'un père de famille qui mène une quelconque carrière qu'il apprécie, entouré de gens qu'il aime. Qui sait si une réincarnation ne comporte pas un changement de sexe ?

L'écrivain français Julien Green nous a laissé cette pensée : « Notre vie est un livre qui s'écrit tout seul. Nous sommes des personnages de roman qui ne comprennent pas toujours bien ce que veut l'auteur. » Cette réflexion signifie pour moi que nous ne sommes pas les seuls maîtres de notre destinée. Nous suivons une route qui a été tracée entre un point de départ et un point d'arrivée par un être supérieur que j'appelle Dieu. À moins que nous n'ayons choisi nous-même notre destinée avant de naître, une hypothèse qu'avancent des théoriciens de la vie dans l'autre monde. En chemin, nous avons parfois la possibilité d'en dévier, comme si nous pouvions emprunter certaines sorties d'autoroute. Mais il nous faudra toujours y revenir pour suivre notre parcours. Chacune des sorties que nous prendrons modifiera le déroulement de notre destin, sans toutefois en changer l'issue.

CHAPITRE 11

Préparer sa sortie

Le cancer m'accorde du temps pour dresser le bilan de ma vie. Gamin, je me souviens de cette image, pour ne pas dire cette caricature du petit catéchisme, où le mort se présentait devant saint Pierre, aux portes du paradis, avec son dossier entre les mains. Une colonne pour le bien, une autre pour le mal, les belles réussites, les échecs, les rêves réalisés, les projets oubliés. Bref, il s'y trouvait tout ce qui avait marqué notre passage sur terre. Après l'analyse du dossier, l'homme à la barbe blanche nous confiait les clés du paradis et nous invitait à prendre place dans une salle d'attente pour une période indéterminée — c'était le purgatoire —, ou il nous remettait une carte routière nous expliquant le chemin jusqu'au domaine enflammé de Satan.

Ceux qui voient leur mort venir, et j'en suis, réfléchissent immanquablement aux étapes de leur parcours sur terre. Partirai-je pour le grand voyage avec la satisfaction du devoir accompli? Voilà la grande question. S'en aller plein de regrets et de remords, de rêves inachevés, de rendez-vous manqués, avec l'impression d'avoir bousillé son voyage terrestre, ne doit pas permettre de s'envoler sereinement et joyeusement vers le paradis. Pour ma part, si à l'adolescence on m'avait remis le plan de ma vie, détaillant tout ce que j'allais vivre pendant la cinquantaine d'années qui me restaient, j'aurais été emballé et possiblement incrédule. Jamais je n'aurais cru pouvoir réaliser cette vie exaltante et bien remplie, tant sur le plan personnel que professionnel. Je me considère privilégié.

Au fil de mes nombreuses lectures sur la vie après la mort et sur la réincarnation, j'ai pris connaissance d'une théorie soutenant que nous bâtissons notre vie dans ses moindres détails avant la naissance. Nous choisissons nos joies et nos peines. J'en vois rire jaune. J'ai peut-être été distrait au moment de sélectionner ma mort. J'aurais bien ajouté quelques années et éliminé les souffrances que je risque d'éprouver en phase terminale. Mais rien n'existe sans raison. J'apprendrai éventuellement pourquoi mon cheminement se termine par ce cancer du pancréas. Ou peut-être que dans l'au-delà, cela n'aura plus aucune importance.

J'ai connu l'amour dans ma vie. J'en ai reçu, j'en ai donné. L'amour de mes parents qui, tardivement, ont décidé d'avoir un enfant. J'ai vécu un long et heureux mariage avec ma première épouse, Josée. Après quoi, le destin a mis sur mon chemin une autre femme extraordinaire, Céline, avec laquelle j'aurais souhaité accumuler les années et vivre une multitude de beaux moments. Je la surnommais « mon projet clés en main », à cause de ses quatre enfants. J'ai apprivoisé en peu de temps la vie familiale et j'entrevoyais avec enthousiasme la naissance des petits-enfants. Grand-papa Albert, ça sonnait bien à mes oreilles.

Matériellement, j'ai été gâté. J'ai pu réaliser les projets à la hauteur de mes ambitions et de mes finances. La maladie ne m'avait jamais joué de sales tours, jusqu'à cette invasion du cancer.

Apprivoiser la mort

La peur de mourir, mais surtout de souffrir, hante mon cheminement dans la maladie. Pas tous les jours, heureusement, sinon je serais incapable de m'arracher du lit le matin, craignant un tête-à-tête avec la Grande Faucheuse.

La représentation de cette Grande Faucheuse n'a rien de rassurant pour ceux qui ont été convoqués au jugement dernier. C'est l'horreur, la noirceur. Personne ne voudrait voir surgir de son imaginaire un squelette portant une toge noire à capuche et armé d'une faux. Son image n'a pas été modernisée depuis l'époque où la peste noire dévastait l'Europe. La Grande Faucheuse n'évoque pas non plus la résurrection de l'âme ou de l'esprit, ni le bonheur de quitter la terre pour un univers merveilleux où tout n'est qu'amour et paix. Pourquoi ne créerait-on pas une allégorie plus féerique, comme un archange vêtu de blanc, à l'abondante crinière blonde, nous attendant au bord de la mer ou dans un champ de blé avec une magnifique gerbe de fleurs entre les mains ?

Mourir, selon la majorité des religions, est une occasion de réjouissance et les survivants devraient célébrer le départ de la personne aimée vers un monde meilleur. Au lieu de cela, on s'entête à représenter la mort sous les traits d'une créature ignoble qui nous tend sa main osseuse pour nous attirer dans les ténèbres. Elle évoque davantage l'image du portier de l'enfer.

Survivre à la nuit

Peut-être à cause de notre sombre représentation de la mort, les heures d'angoisse surviennent généralement la nuit chez les malades. « Le sommeil et la mort sont des frères jumeaux », écrivait le poète grec Homère dans *L'Iliade*. Depuis l'annonce du cancer, je ne me souviens pas d'une crise ou d'un moment de profonde angoisse pendant le jour. La lumière m'inonde et me rassure ; je me sens en sécurité. La ville et les gens bougent autour de moi et me stimulent. Ils font du bruit et, généralement, je me montre très actif dès le lever du soleil.

Une fois la nuit venue, le silence m'enveloppe. Mes proches s'endorment et je me retrouve seul avec mes pensées. Si elles prennent la mauvaise direction, je ne réveillerai pas Céline pour qu'elle me rassure. Elle n'a pas à partager mes tourments, alors qu'elle reprend des forces. « Le sommeil est une sorte de protection, si paradoxal que cela puisse paraître », lit-on dans *Molloy* de Samuel Beckett. Je les endure, je m'enfonce dans mes peurs, j'élabore les pires scénarios d'une fin à venir. Huit à dix heures deviennent interminables dans la noirceur quand Morphée refuse de nous bercer. Si je ne parviens pas à chasser mes peurs et à m'endormir, je reste préoccupé par le mal causé par le cancer, les traitements de chimio, et je sombre dans les pensées négatives. J'entends presque l'écho des pas de la Grande Faucheuse...

Rappelez-vous la torture d'une migraine la nuit, comparativement au jour. Rien ne nous en détache, alors que, le jour, des distractions en amoindrissent les effets. Du moins, chez plusieurs personnes.

L'insomnie ne consiste pas uniquement à passer une nuit les yeux ouverts comme ceux d'un hibou. J'éprouve un sentiment d'abandon, la nuit. Ce qui n'était jamais le cas à l'époque de mes grandes virées nocturnes dans les bars de mes années disco ! Sauf quand mes tentatives malhabiles de flirt ne produisaient pas les résultats escomptés. Se réveiller plusieurs fois dans la nuit, quel agacement ! Ou ouvrir les yeux trop tôt le matin, sans parvenir à se rendormir, est un autre problème lié à un sommeil déficient.

Mes mauvaises nuits alourdissent généralement mes journées. Je ne profite plus de ma belle endurance d'autrefois, et elles annoncent souvent une journée misérable. J'ai tout à coup la conviction que je me relève moins rapidement de mes trois journées de chimio, et la déprime s'installe. Je manque de concentration dans les tâches que je tiens à accomplir. Si je ne fais pas de sieste dans la journée ou si je me couche tard, je risque d'en ressentir les effets encore le lendemain.

Cela dit, je m'estime chanceux de bien dormir, dans l'ensemble. Un bon sommeil qui recharge les batteries est un allié indispensable dans ma lutte contre la maladie. Sinon, mes forces ne se refont pas aussi rapidement et les symptômes se multiplient. Je ne peux pas non plus interpréter le moindre malaise comme une conséquence du cancer. Je vieillis, aussi.

Alors que le sommeil me fait parfois faux bond, l'appétit reste excellent. Je mange autant qu'autrefois, je ne perds plus de poids. J'ai le goût d'aliments spécifiques que je dévore. Je suis redevenu une bébitte à sucre. Certains spécialistes recommandent de s'en tenir loin, car les métastases en raffolent. D'autres, par contre, suggèrent fortement le contraire. Malade ou pas, il y aura toujours de la place pour un bon morceau de gâteau ou une pointe de tarte au sucre.

Cultiver la confiance

Malgré un bon moral, ma détermination à combattre ce fléau et mon désir de vivre le plus longtemps possible, je me rends bien compte que le cancer affecte ma confiance et me rend fragile mentalement devant les aléas de la vie. Je ne suis pas le seul malade à réagir ainsi. Je le constate dans mes nombreuses discussions avec les gens qui m'abordent à propos du cancer, souvent un mal que nous partageons. « Quand une fois on a accueilli le Mal chez soi, il ne demande plus qu'on lui fasse confiance », ai-je lu dans le journal intime du Tchèque Franz Kafka. Effectivement, le mal reste ce qu'il est de par sa nature. Il ne nous surprendra pas « en devenant un mal bénéfique à notre santé ». Une fois qu'on l'a accepté, on ne s'y accroche pas comme on voudrait tant le faire avec une bonne santé. On sait fort bien le tort qu'il nous causera et on voudrait bien l'oublier.

Je crois aussi que toutes les personnes qui souffrent du cancer en viennent à se sentir diminuées. Jean-Luc, un résidant de la rive-sud de Québec, m'a confié ceci :

« Rien ne pouvait m'arrêter. J'acceptais tous les défis au travail. Je pratiquais des sports extrêmes. Le jour où l'oncologue m'a appris que j'avais un cancer colorectal, j'ai perdu ma confiance. Je ne pense pas faire de dépression et je n'ai jamais envisagé d'abandonner ma lutte, mais je ne suis plus la même personne qu'on admirait pour son audace. Je suis même craintif face à la vie, quand elle m'éloigne trop de ma routine. »

Je l'écoutais sans penser que je lui ressemblerais dans les semaines à venir. Mais force est d'admettre que Jean-Luc avait raison, même si nos rythmes de vie différaient beaucoup avant la maladie. Comme lui, je suis devenu plus craintif. Quand j'ai organisé mon premier voyage (approuvé par l'oncologue), cinq mois seulement après la mauvaise nouvelle, un court périple d'une semaine dans la région de Miami, une ville que j'ai pourtant visitée d'innombrables fois, je me suis mis à douter de ma décision dans les jours qui ont suivi. Et si je me mettais à aller mal sous le soleil de la Floride et que je gâchais les vacances de ceux qui m'accordaient la faveur de m'accompagner? Mon corps, violenté par la chimio, serait-il aussi résistant à la chaleur? Je me posais toutes sortes de questions, comme jamais auparavant. Pourtant, je connais des cancéreux qui ont entrepris des voyages beaucoup plus complexes que le mien — mon voyage «pépère».

Par ailleurs, je voulais m'entraîner physiquement, mais j'ai hésité longuement avant de me réinscrire à un club et j'ai opté pour un abonnement de trois mois. Je n'allais pas malmener les équipements, mais je redoutais un malaise dès que je commencerais ma séance. Je me questionnais sur le bienfondé de ma présence parmi ces personnes en bonne santé. Puisque mon cas était connu publiquement, j'avais l'impression que tout le monde m'observait — «Quand tombera-t-il?» Malgré tout, je tenais vraiment à regagner des forces, à éprouver ma résistance à l'effort et à me rapprocher un tant soit peu de ma condition physique d'avant la maladie. Déjà que je devais abandonner la pratique de sports que j'aimais, dont le ski alpin, je ne voulais pas tout céder au cancer.

La maladie nous force à écouter davantage notre corps. On en vient à identifier la douleur, les malaises, ses réactions dans des situations particulières. J'ai quand même mis un cycle complet de chimiothérapie (six traitements) avant de cesser de m'inquiéter des réactions de ma carcasse à la médication. Lors des trois jours de son application, dont un à l'hôpital, je suis très éveillé et actif. J'ai l'impression qu'on m'injecte une boisson énergisante. Je pourrais repeindre votre maison en vingt-quatre heures. Je ne prétends pas qu'il en va de même pour toutes les personnes souffrant du cancer. C'est mon cas, toutefois.

La fatigue se manifeste au quatrième jour, soit le premier après la chimio, et cela peut durer trois ou quatre jours. Je m'endors, je manque de peps, j'ai la triste impression que les traitements sont inefficaces. Je me demande si je dois persévérer ou abandonner. Toujours le même questionnement, bien que je m'efforce de me souvenir que l'histoire se répète d'une chimio à l'autre. Céline a beau me dire que cette semaine ressemble à la précédente, qui, elle, ressemble à la précédente, j'en doute. Je sens alors que la situation s'aggrave et que je ne me rendrai pas à la fin de l'année. Peut-être même que je ne verrai pas la prochaine saison.

Puis, vient la cinquième journée, et j'entre dans l'intervalle entre deux chimiothérapies. Tout m'apparaît plus normal. Mais, si une nouvelle douleur se manifeste, j'y porte attention. Je réagis comme quand j'entends un bruit suspect dans l'auto, sur la route. Mon esprit s'emballe cependant, si le mal s'intensifie. Si une pression persiste à la poitrine, je la relie plus à un infarctus qui se prépare qu'à une mauvaise posture devant l'ordinateur ou qu'à une digestion capricieuse. Imaginez quand je ressens des engourdissements aux membres ou que je perds l'équilibre…

La confiance en soi est une attitude positive difficile à conserver quand le cancer manipule notre vie. Pour la sauvegarder, je m'efforce de vaquer à des tâches familières, où je me sens dans mon élément. L'écriture, par exemple. J'évite d'entreprendre des actions trop lourdes qui soulèvent un doute en moi. Des amis exécutent maintenant les travaux manuels à la maison. Déjà que je les entreprenais sur la pointe des pieds quand j'étais bien portant. Je me dis que le cancer ne me dictera pas tout dans la vie qu'il me reste.

Le temps de régler ses dossiers

S'endormir et ne plus jamais se réveiller, la mort idéale ! J'y ai souvent pensé, comme nombre de personnes en bonne santé. Elle ne comporte pas d'agonie et n'entraîne pas dans son sillage les membres de la famille. « Il est parti comme un petit oiseau », répétait ma vieille tante. Existe-t-il une meilleure façon de quitter cette terre ?

Cette disparition dans le sommeil apparaît comme la façon idéale de rendre l'âme, car elle élimine la douleur, ce que les humains redoutent le plus. On ne peut le nier. Sans aucun doute, cette envolée vers l'au-delà viendrait au premier rang d'un sondage auprès de la population. Mourir sans voir venir la Grande Faucheuse et sans avoir le temps d'y penser. Mais qu'advient-il des cancéreux, torturés pendant des mois, voire des années, par la maladie ? Le cancer constitue néanmoins une meilleure manière de passer l'arme à gauche que les maladies dégénératives qui font perdre au malade ses moyens physiques et intellectuels. Je préfère que ma qualité de vie diminue, tout en conservant mes facultés, plutôt que de souffrir de la maladie d'Alzheimer pendant plusieurs années. Cela constitue un supplice pour les proches et une perte de dignité pour le malade, même s'il ne se rendra plus compte de son état lorsque la maladie exercera totalement son emprise.

Je préfère mourir du cancer que dans un accident de la route ou au travail. Le père, la mère ou l'enfant quitte la maison et ne rentre plus. Le choc est brutal. Le lien est sauvagement rompu. Mais le cheminement vers la mort, que le cancer impose aux victimes, leur permet de préparer leur sortie. C'est un avantage d'avoir la chance de déclarer à nos proches qu'on les aime. Bénéficier de temps pour solutionner un conflit majeur avec un membre de la famille, un ami, même un ennemi, est aussi un privilège qui permet de partir en paix et de laisser les autres en paix.

Je me souviens de la mort accidentelle d'un collègue très apprécié. L'un de ses amis de longue date venait de se disputer avec lui, quelques semaines auparavant. Ils ne se parlaient plus et évitaient de se croiser dans les lieux qu'ils fréquentaient. Chacun refusait de faire le premier geste de réconciliation, même si l'envie les en tenaillait tous les deux. Quand la mort a frappé hypocritement, sur une route de campagne, elle a emporté une vie, mais elle a aussi éventré l'âme de l'autre homme. Celui-ci se sentait terriblement coupable envers son ami perdu. Il lui a demandé pardon en s'agenouillant sur sa tombe, en espérant qu'il l'entendrait et lui pardonnerait.

Un père a appris la mort violente de son fils sur un chantier de construction. Ils ne se parlaient plus depuis des mois. Le fils avait déserté l'entreprise familiale, en ville, au profit d'une compagnie rivale, en région, à quelques centaines de kilomètres de la maison. Ils n'ont jamais pu régler leurs différends, malgré la bonne volonté du fils. Et puis la mort les a séparés.

Il s'agit là de drames, mais un décès peut séparer des êtres qui s'apprécient et ont de saines relations. Avoir le temps de fréquenter une personne malade qu'on aime, ne pas se gêner pour le lui avouer, voilà un cadeau exceptionnel qu'une mort prévisible nous accorde. Elle permet aussi au malade et à son conjoint de préparer toute la paperasserie, ce qui évitera mille problèmes aux héritiers. Je pense au testament, au mandat en cas d'inaptitude, à la procuration, au transfert de propriété. Au début de la maladie, personne ne sait si le malade ne terminera pas ses jours dans une maison de soins palliatifs. Il a peut-être une préférence pour un de ces établissements. D'autres malades tiendront mordicus à finir leur existence à la maison, si leur état le permet. Il est donc préférable d'établir tout de suite les choses, avant que l'esprit s'embrouille.

Il n'y a rien de mieux que des écrits pour éviter les chicanes de famille ou pour les résoudre sans se présenter devant les tribunaux. Tout va toujours bien avant la mort, mais lorsqu'elle arrive et qu'il y a de l'argent impliqué, beaucoup de familles découvrent un profiteur qui réclame des avantages indus. Mon notaire se souvient encore d'une confrontation mémorable entre une sœur et ses frères pour… un vieux chaudron.

Planifier sa mort, c'est aussi prévoir l'hommage funéraire, religieux ou non, que le défunt désire, et le type d'inhumation. Celle-ci exigera une dépense de quelques milliers de dollars, même si les funérailles sont modestes. La famille, déjà éprouvée par la perte de l'être cher, sera reconnaissante qu'il ait pris le temps de tout régler avant son dernier voyage.

Oui, je le veux !

Avant la maladie, j'envisageais de faire la grande demande à Céline pour mes 70 ans. Ne cherchez pas pourquoi j'avais cet âge en tête. Peut-être parce que je le considérais comme la porte d'entrée dans la vieillesse. Comme le temps a pris tout à coup une autre dimension, j'ai décidé de ne plus attendre. C'est donc un soir de semaine, après le souper, alors que nous jasions assis dans l'escalier de la maison, un décor pourtant peu romantique, que j'ai lâché le morceau : « Pourquoi on ne se marierait pas ? » Céline a répondu : « Tu es sérieux ? Si oui, O. K., on fonce, c'est une bonne idée ! » Dès le lendemain, on enclenchait le processus des invitations et de la réservation d'une salle. Je tenais à ce que Céline devienne officiellement mon épouse. Ce mariage repose avant tout sur l'amour, mais c'est aussi une alliance d'affaires. Sur le plan juridique, la succession devient plus simple à réaliser pour le conjoint survivant.

Nous tenions à tenir cette réunion familiale intime à l'hôtel La Ferme de Baie-Saint-Paul, pour le plaisir de festoyer entre nous. Ce fut une soirée riche en moments tendres et une belle preuve de notre amour. Ce mariage totalement imprévu à l'agenda familial a été bien accueilli. Les circonstances le rendaient particulier. Il existe une belle complicité entre Céline, ses frères, sa sœur et ses nombreux neveux et nièces. Pour moi, c'est ma nouvelle — et seule — famille.

Officialiser notre union a ouvert davantage le cœur des enfants de Céline à mon égard, si c'était encore possible. Ils m'ont arraché les seules larmes de la soirée. Ils se comportaient comme si nous fêtions plutôt notre 30e anniversaire de mariage. Ils ont organisé un jeu-questionnaire sur le court passé commun de Céline et moi. Mais personne ne pouvait faire abstraction de ma mort à venir. C'est pourquoi l'émotion était aussi à son comble chez Pierre-Olivier, Marie-Hélène, Anne-Sophie et Sarah-Julie.

Je n'irai pas jusqu'à applaudir le destin d'avoir choisi cette finalité pour moi. J'aurais préféré mourir d'épuisement, à 96 ans, après mon jogging quotidien…, ou tué par un mari jaloux. Cette mort m'offre cependant une sortie que je préfère à beaucoup d'autres. En paix, entouré des gens que j'aime, et avec la satisfaction d'avoir mené une vie bien remplie. Puisqu'un jour je n'aurai pas le choix de retourner d'où je viens, je choisis de parcourir les kilomètres qui me restent la tête haute, le cœur rempli de gratitude. Je ne saurais l'expliquer, mais il y a des jours où je trouve la vie tellement belle, malgré mes limitations. Je comprends maintenant beaucoup mieux les personnes qui se relèvent d'un terrible accident ou d'une maladie qui les a laissées handicapées. En fait, je n'étais jamais parvenu à m'expliquer comment un homme ou une femme qui, par exemple, perd ses deux jambes dans un accident, peut se remettre sur pieds — sans jeu de mots — et poursuivre son chemin. Je sais maintenant que cela provient d'une volonté sincère.

Je ne pourrai pas réaliser mes grands projets de retraite. Ce qui ne signifie pas pour autant que plus rien n'existe pour moi dans ce monde. J'ai appris à évaluer mon bonheur sous un autre angle. Difficile à croire pour certains de mes proches, mais j'en demande beaucoup moins à la vie. Et puis, il me reste encore du temps, avec ma Céline bien-aimée, pour corriger de petits défauts que je traîne. Je m'y engage.

Un ami et collègue, Robert Laflamme, m'a fait un compliment qui m'a touché droit au cœur, lors d'un repas que nous prenions ensemble. «Albert, tu vieillis tellement bien», m'a-t-il lâché, un sourire éclatant au visage. S'il n'en tient qu'à moi, je me battrai encore et encore pour ajouter des mois, peut-être des années à mon existence. Parce que chaque jour en vaut encore grandement la peine.

Conclusion

En attente dans un aéroport

Le diagnostic d'un cancer a clairement établi quelle sera la cause de mon décès, à moins qu'un accident ne survienne ou qu'une autre maladie ne cause ma perte. Je n'en connais pas la date exacte, mais je sais que je ne collectionnerai pas les années. Il ne me sert à rien d'attendre l'âge de 65 ans pour récolter ma part de la Régie des rentes du Québec. J'espère juste ajouter le plus de mois possible à ma feuille de route. J'aimerais franchir le cap de la première année et célébrer l'anniversaire du temps qu'il me reste. Il me semble qu'il s'agirait d'une belle réussite.

Naturellement, beaucoup de gens de mon entourage s'efforcent de me réconforter en me répétant que nous allons tous mourir. Je le sais fort bien. Cependant, une personne en bonne santé ne pense pas souvent à la mort. Elle vit sans se poser de questions, sauf peut-être quand elle assiste à des funérailles. Je présume aussi que les gens qui atteignent le cap des 80 ans, par exemple, doivent s'inquiéter des années qui leur restent, chaque fois qu'ils célèbrent un anniversaire ou un événement spécial. Mais il est impossible pour moi d'ignorer totalement que je me dirige vers la sortie, ou vers la porte d'entrée, tout dépendant de ma perception de la vie sur terre et de celle qui suivra dans l'autre monde. Je dirais que la porte d'entrée me semble la vision la plus positive. « Une porte tournante », m'a lâché Céline, moqueuse, alors qu'elle lisait par-dessus mon épaule.

Je me suis vite rendu compte que, dans le malheur qui me frappe, je peux néanmoins rester heureux. Le bonheur se trouve dans une foule de petites choses qu'on ignore ou qu'on remarque rarement quand on est en pleine santé. Par exemple, je constate la pousse de nouvelles fleurs dans la rocaille de la maison. J'ai appris à apprécier une journée de pluie, quand le temps est doux. Pour moi, c'est un changement majeur. Je retourne le sourire que m'adresse un petit enfant que je ne connais pas. Une des filles arrive à la maison en m'apportant un café. Je savais reconnaître le geste auparavant, mais je vois maintenant ce breuvage comme une très belle pensée. Je suis heureux de pouvoir marcher pendant une trentaine de minutes sans me fatiguer. La santé nous rend plus exigeant envers la vie. On oublie le bonheur, trop préoccupé par ce que nous devons accomplir, ce que nous devons acheter, ce que nous pouvons réaliser.

Au fil des mois, j'ai rencontré beaucoup de gens qui souffrent du cancer. Tant et aussi longtemps qu'on n'en devient pas une victime, on ne se rend pas compte à quel point cette terrible maladie cause des ravages. Ça me frappe toujours, quand je me présente au deuxième étage du CRCEO de l'Hôtel-Dieu de Québec. Que de patients prennent place dans cette vaste salle, en attente d'une prise de sang, d'un traitement ou d'une rencontre avec un oncologue! Ça se compare aux urgences d'un hôpital en période intensive de grippe, au mois de février. Il est plus que temps que les chercheurs découvrent le remède miracle. Je n'ai jamais tant souhaité que les Québécois se montrent très généreux financièrement pour aider les spécialistes à combattre la peste du XXIe siècle. Mais, quand on a la santé, un don pour lutter contre le cancer peut nous sembler une sollicitation comme les autres. Trop souvent, on passe son chemin ou on détourne la tête.

J'ai rencontré des gens extraordinaires qui se battent contre cette maladie. Sans oublier le personnel infirmier qui travaille sans relâche pour nous guider. Que ferait-on sans ces professionnels de la santé? Cela dit, je compatis avec ceux qui, éprouvés par cette maladie, se referment comme une huître. À chacun sa façon de gérer sa vie dans ces circonstances, mais l'isolement ne devrait jamais être la bonne façon de combattre le cancer. Il faut continuer de vivre, d'aimer les gens, d'entretenir des projets à court et moyen termes. La vie recèle de belles surprises, même dans la maladie. Laissons-lui la chance de nous surprendre.

Un dernier vol

Maintenant que je sais que j'ai le cancer, je me sens comme si j'étais dans un vaste aéroport international, en attente de mon vol à destination de l'au-delà. J'ignore le jour et l'heure du départ, je ne connais ni le nom de la compagnie aérienne ni l'identité des passagers qui m'accompagneront, mais je sais toutefois que je partirai. Impossible d'annuler ma réservation. Je ne peux quitter cet aéroport autrement qu'en prenant l'avion. En attendant, ma vie se déroule dans cet espace public imaginaire. Je peux visiter les boutiques, casser la croûte, dormir, lire, écrire, discuter avec des inconnus qui attendent aussi leur vol. Je pourrais aussi m'écraser dans un coin et bougonner contre les retards et le manque d'informations sur mon départ. Je trouverais cependant le temps très long et l'agressivité referait rapidement surface.

Même bien intentionné, l'ennui risque toutefois de saboter quelque peu mon humeur. Il y a plein de choses que je ne suis plus en mesure d'accomplir. Mais en suis-je vraiment incapable? Ne me fais-je pas plutôt croire que j'en suis incapable?

À ce stade de ma réflexion, je me demande si je ne pourrais pas recommencer à parcourir, à mon rythme, les pistes cyclables de Québec, ou me racheter une moto. Je ne suis plus obligé d'avaler les kilomètres et de rouler des journées entières. Je peux encore effectuer de courts voyages au Québec, dans les provinces voisines ou sur la côte est des États-Unis. Tout est une question d'adaptation. Il faut éviter que la crainte me prive de tout ce qui animait ma vie d'avant la maladie.

J'avouerai cependant que je me sens parfois humilié par mon état de santé. Depuis le diagnostic, mon corps a changé, j'ai vieilli, plus de rides creusent mon visage. Je n'ai pas perdu mes cheveux, mais leur texture a changé. De la broche de cage à poules, dis-je souvent à Céline. Je ne possède plus la force requise pour exécuter certaines tâches, et ça m'importune de voir Céline faire ce qui devrait être de mon ressort. Heureusement, il y a les amis pour nous donner un coup de main. Ayant perdu du poids, j'ai abandonné la moitié de ma garde-robe. Je porte toujours les mêmes vêtements. Mais, oui, il y a des hommes coquets, et celui que je suis entreprendra bientôt un grand magasinage de printemps.

Certes, ce ne sont pas là de grandes tragédies. Bien que la maladie me mette des bâtons dans les roues, je ne peux pas écouler le reste de ma vie à m'attarder aux aspects négatifs et attendre la mort. Je dois continuer d'en profiter, de caresser des projets. Une chandelle s'éteint seulement lorsqu'il ne reste plus de cire ou que la mèche s'est consumée jusqu'à son extrémité.

J'espère que la lecture de ce livre permettra à des personnes souffrant du cancer de se retrousser les manches. Quant aux aidants naturels, continuez de soutenir l'être cher. Votre appui est extraordinairement important dans le combat qu'il livre contre la maladie.

À ceux qui n'acceptent pas la fatalité du cancer, dites-vous que cette saleté de maladie ne changera pas, même si vous n'en voulez pas.

Ne gaspillez plus le temps qu'il vous reste. Savourez la vie.

Remerciements

À la D^{re} Isabelle-Pascale Beaudet, gastro-entérologue, pour son efficacité et sa rapidité.

À Pascale Mongeon, éditrice aux Éditions de l'Homme, pour sa patience et pour m'avoir si bien guidé dans la rédaction de ce premier livre.

À Karine Nadeau, première lectrice des textes, titulaire d'un baccalauréat et d'une maîtrise en études littéraires (littératures française et québécoise), son mémoire portant sur *La Trilogie des dragons* de Robert Lepage.

À Mme Lucie Casault, psychologue spécialisée en oncologie à l'Hôtel-Dieu de Québec, pour ses réponses à toutes mes questions et pour nos entretiens.

À l'unique Peter Stastny, ex-joueur des Nordiques et membre du Temple de la renommée du hockey, pour la préface de ce livre.

Au personnel médical du CRCEO de l'Hôtel-Dieu de Québec, pour ses bons soins, sa gentillesse et son dévouement.

Table des matières